1 MONTH OF
FREE
READING

at
www.ForgottenBooks.com

By purchasing this book you are eligible for one month membership to ForgottenBooks.com, giving you unlimited access to our entire collection of over 1,000,000 titles via our web site and mobile apps.

To claim your free month visit:
www.forgottenbooks.com/free989595

ISBN 978-0-260-93114-6
PIBN 10989595

Die Sünde.

Beitrag

zur

Theologie des Alten Testaments

von

Dr. F. W. C. Umbreit.

O, daß ein Reiner vom Unreinen käme! —
Ich, nicht Einer! —
Hiob 14, 4.

Hamburg und Gotha.
Verlag von Friedrich und Andreas Perthes.
—
1853.

Seinem

alten, treuverbundenen Freunde

Dr. C. Ullmann

bei

dessen Übergange aus der akademisch = wissenschaftlichen
Wirksamkeit in die praktisch = kirchliche

in der festen Zuversicht

auf

den bleibenden Einklang des alten und neuen Berufes

zum

Zeichen unwandelbarer Liebe

gewidmet

von

Verfasser

Vorrede.

Nur mit wenigen Worten möge den Lesern dieser Schrift Veranlassung und Grund ihrer Abfassung in gegenwärtiger Gestalt voraus bezeichnet werden.

Während ich mich seit mehreren Jahren mit dem Verständnisse des Briefes an die Römer in aller Stille beschäftigte, wurde mir die Wahrheit des Ausspruches von Luther recht lebendig, wenn er sagt: „es scheine, als habe St. Paulus in dieser Epistel wollen einmal in die Kürze verfassen die ganze christliche und evangelische Lehre, und einen Eingang bereiten in das ganze Alte Testament: denn ohne Zweifel, wer diese Epistel wohl im Herzen hat, der hat des Alten Testamentes Licht und Kraft bei sich". Es entstand daher in mir der Gedanke, jenes Licht und jene Kraft aus dem Alten Testamente in eine Erklärung des Hauptbriefes des großen Apostels dergestalt hineinzuleiten, daß sie, ohne die Anmaßung, die vielen zum Theil trefflichen Commentare aus neuerer und neuester Zeit mit einem allerneuesten vermehren zu wollen, - etwa unter dem bescheidenen Titel „exegetische Entwickelung des Briefes an die Römer mit alttestamentlichen Anmerkungen" als eine Beilage zu jenen betrachtet werden könne. Aber die Anmerkungen wurden mir hie und da zu weitläufigen Ausführungen, und bei Cap. 5, 12 erwuchs eine solche zu einem so ausgedehnten Umfange, daß ich sie, ohne den ursprünglichen Plan meines Buches und seine Wohlordnung zu zerstören, demselben nimmermehr einfügen konnte, und ihr daher nun noch eine größere Erweiterung gab. Und so entschloß ich mich denn, meine Untersuchung der alttestamentlichen Lehre von der Sünde, nach ihrem Ursprunge, ihrem Wesen und ihrer Wirkung, als Einzelschrift zu veröffentlichen. Sie erscheint ganz in demselben Gewande wie die meines Freundes, „die Sündlosigkeit Jesu" und kann so schon durch dieses äußere Ansehen auf eine innere Zusammengehörigkeit von beiden hindeuten: denn der neutestamentliche Begriff der „Sündlosigkeit" hat zu seiner nothwendigen Voraussetzung die aus der Tiefe des Alten Testamentes geschöpfte Erkenntniß der „Sünde".

Man wird mir es gewiß nicht als Eigendünkel anrechnen wollen, daß ich mich in der Erörterung einzelner schwieriger und sehr streitiger Punkte nicht mit früheren Forschern unter Anführung ihrer Namen apologetisch = polemisch auseinandergesetzt, da bei meinen anderen wissenschaftlichen Arbeiten dieses vielleicht in einem nur zu reichen Maaße geschehen. Ich habe dieses Mal absichtlich bloß meinen eigenen Weg gehen wollen, und, um wo möglich jedes Vorurtheil zu beseitigen, bei der exegetisch=kritischen Behandelung des hochwichtigen Gegenstandes das bereits Gelernte eher zu vergessen, als es mir in Erinnerung zu bringen gesucht.

Eines weiß ich gewiß: daß ich mit möglichster Selbstentäußerung nur nach Wahrheit gestrebt, und mir meine Arbeit nicht leicht gemacht. Wie viel ich in der Sünde über die Sünde gesündiget, das werde ich erst in der Folge erkennen, wenn ich im Leben und in der Wissenschaft noch weiter vorwärts gedrungen. Jetzt mögen andere Richter, die einsichtsvoller, als ich, „in Wahrheit und Liebe" darüber urtheilen. Ich eigne mir das Schlußwort von Jakob Grimm in seiner Abhandlung über die Abstammung des Wortes „Sünde" in den „theologischen Studien und Kritiken" (Jahrgang 1839 S. 752) an:

„So leicht es sonst ist zu sündigen, hat mir doch

dieser Versuch, über das schwierige Wort Sünde Auf=
schlüsse zu gewinnen, wenn er selbst eine Sünde ist, ei=
nige Mühe gemacht; und wenigstens zeigt er, wie nahe
das Fehlen der Wahrheit stehen kann".

Heidelberg, den 3. September 1853.

Umbreit.

Die beiden dunkelsten Worte, Sünde und Tod, stehen im Alten Testamente miteinander, und ihr düsterer Zusammenklang wird aus dem neunzigsten Psalm in dem Grundtone des göttlichen Zornes am ergreifendsten vernommen. Wollen wir diese Trauermusik, die das ganze menschliche Leben durchdringt, und nirgends auf Erden gewaltiger gehört wird, als in dem Tempel von Jerusalem, wo selbst die frömmsten Lieder der Freude eine leise Wehklage durchzieht, verstehen lernen, so müssen wir in den Garten Gottes zurückkehren, und die Sünde bis zu ihrer ersten Erscheinung verfolgen. Wir müssen den Menschen betrachten, wie er beschaffen war, bevor er von dem Baume der Erkenntniß des Guten und Bösen die verbotene Frucht gegessen, und in Folge davon aus dem Paradiese vertrieben ward, damit er nicht auch von dem Baume des Lebens nehme und ewig lebe.

Die Urkunde Gen. 1, 26 u. 27 hebt mit unverkennbarem Nachdrucke die Schöpfung des Menschen hervor. Auf diese höchste That des Schöpfers deutet schon die feierliche Anrede Gottes an sich selbst. Er spricht in der Fülle seiner ganzen Majestät; daher: „wir wollen machen", wie dort bei der Weihe Jesajas (6, 8) die Stimme des himmlischen Königs sich also vernehmen läßt: „wen soll ich senden, und wer wird uns gehen?" — Es ist bei jenem vielerklärten נַעֲשֶׂה weder an einen von dem Erzähler nicht vollständig überwundenen und daher unvermerkt ihm entschlüpfenden Polytheismus, noch an einen sogenannten plur. deliberativ.

1

zu denken: denn nach der hohen Besonnenheit, von welcher die
ganze Rede getragen ist, erscheint es als höchst unwahrscheinlich,
daß gerade bei dem bedeutendsten Schöpfungsacte der Aufzeichner
der Urkunde von einer polytheistischen Erinnerung sich habe be=
schleichen lassen, was überdieß mit der mosaischen Beschaffen=
heit unsres Stücks gar nicht in Übereinstimmung gebracht werden
kann, da unverkennbar der Berichterstatter die in einzelnen Ab=
stufungen zur vollendeten Schönheit sich regelmäßig gestaltende
Entwickelung des von Gott hervorgerufenen Weltstoffs in die Form
der bereits vorhandenen Sabbatswoche künstlerisch hineingegossen.
Ebenso wenig ist es aber einleuchtend, warum der Schöpfer sich
mit sich selbst oder erst mit Anderen, mit den Engeln, solle bera=
then haben, ob er den Menschen machen wolle. Wie der Aus=
druck einfach lautet, so hätte Gott die Engel nicht zur Berathung,
sondern sogar zur Theilnahme an dem Machen des Menschen auf=
gefordert, was gegen die unbeschränkte, sich selbst genug seyende
Schöpfungskraft des Einen Elohim verstoßen würde, worauf doch
sonst Alles gesetzt ist; es würde zugleich unbegreiflich seyn, wa=
rum die Engel, wenn sie auch nur zum Geheimenrathe Gottes
gezählt werden sollten, nicht schon im Vorhergehenden genannt
worden wären, da sie doch nach einer solchen Würdigung höher
stehen müßten, als der Mensch. Wir gelangten dann zu einer
Geschichte vor dieser Welt, und doch ist nach unserem Berichte
diese, und nur diese, im Anfange, also vor aller Zeit, die in der
Anschauung des Raumes bedingt ist, geschaffen. Wenden wir uns
daher der bestimmten und lichten Gestalt des Menschen zu, wie sie,
mit dem Bilde Gottes geschmückt, die Krone der königlichen Herr=
schaft über alle Geschöpfe der Erde trägt.

Wenn das ganze erste Capitel der Welt= und Menschen=
erschaffung in Form und Darstellung den Eindruck der erhaben=
sten Poesie auf uns macht, so schwingt sich die Rede da, wo sie
auf Adam, der nach diesem Namen die Erde als Herr derselben
in seine Erscheinung aufnehmen soll, übergeht, zum kürzesten Ju=

belgesange empor, und wir begegnen zum ersten Male in dem „Gott schuf den Menschen in seinem Bilde, im Bilde Gottes schuf er ihn" dem sogenannten parallelismus membrorum in seiner einfachsten und erhebendsten Weise. Suchen wir zunächst Alles zu vergessen, was die Ausleger von den ältesten bis auf die neuesten Zeiten in dem Ebenbilde Gottes gefunden, so werden wir von vornherein das Wort „Ebenbild" zu vermeiden haben: denn da wir mit diesem Ausdrucke die Vorstellung, daß ein Gegenstand, einem andern nachgebildet, diesem völlig gleich sey, zu verbinden pflegen, so entfernen wir uns sogleich von der Genauigkeit des Textes, wenn wir צֶלֶם so übersetzen. Dieses bedeutet immer nur, mit צֵל zusammenhängend (im Arab. ظُلْمَة Dunkelheit), Schattenbild, ja, es haftet an ihm sogar vorherrschend der Begriff der Nichtigkeit und des Scheines; Pf. 39, 7 steht צֶלֶם dem הֶבֶל parallel, und Pf. 73, 20 kömmt es mit חֲלֹם, dem Traumbilde, verbunden vor, weshalb es auch vom Götzen gebraucht ist, in dem das Licht zu einem dunklen Wahnbilde wird (Am. 5, 26; 2 Kön. 11, 18). Wenn nun auch an unserer Stelle der Schatten nimmermehr im Sinne des täuschenden Scheines aufgefaßt werden kann, so trägt jener doch nicht das volle Leben dessen, der ihn von sich wirft, in sich und an sich. Es ist überdieß auch gar nicht zu erwarten, daß der Mensch, leiblich oder geistig genommen, als Gott völlig gleich gedacht werden soll. Der Ausdruck „in unsrem Bilde" veranschaulicht nur die Gestaltung der menschlichen Persönlichkeit wie in einer Form des göttlichen Wesens. Diese einfach sich ergebende Auslegung wird verfehlt, wenn man בְּ in der Übersetzung geradezu mit כְ vertauscht: „nach unsrem Bilde", wo dann der Ausdruck seine individuell = sinnliche Wahrheit verliert und eine exegetische Mehrdeutigkeit erhält. Das zu einer weiteren Erklärung hinzugefügte כִּדְמוּתֵנוּ bestätigt auch unsere Auffassung, mag man es nun „nach unserer Gleichheit", oder „nach unserer Ähnlichkeit" übersetzen, insofern דמות, Ezech. 1, 28 auf

Gottes Erscheinung bezogen, immer nur das Bild desselben, aber nicht sein Wesen bezeichnet. Daher scheint das כ die Bedeutung des ב eher zu verringern, als zu verstärken; im Bilde Gottes soll der Mensch in die Erscheinung treten, aber nicht in vollkommener Gleichheit mit dem Bilde Gottes, sondern nur nach seinem Bilde. Im folgenden Verse bleibt dann dieser erklärende Zusatz ganz hinweg, und es wird nur noch einmal mit der stärksten Betonung gesagt, daß Gott den Menschen wirklich in seinem Bilde erschaffen, und zwar in der geschlechtlichen Unterschiedenheit von einem Männlichen und einem Weiblichen, wodurch schon der Gedanke an die Ebenbildlichkeit Gottes in der Einheit seiner Persönlichkeit zerstört wird.

Es entsteht nun die Frage, worin die Gottbildlichkeit des Menschen zu suchen sey. Daß wir bei derselben zuerst die äußere Gestalt des Adam in's Auge zu fassen haben, läßt sich nicht in Abrede stellen: denn sie ist doch nichts Zufälliges, sondern der nothwendige Abbruck und Ausdruck seines ihm eigenthümlichen Wesens, das er auch nach Cap. 5, 3 durch die Zeugung auf seinen Sohn vererbt. Es verstößt aber gänzlich gegen den hochwichtigen Begriff der Persönlichkeit, wenn man unter dem Bilde Gottes, in dem der Mensch geformt worden sey, bloß an die Äußerlichkeit der Erscheinung denken wollte: denn in der Persönlichkeit ist die reine Geistigkeit einer in sich begründeten und wohl abgeschlossenen Besonderheit mit einer ihrem Wesen vollkommen entsprechenden Leiblichkeit des Daseyns in untrennbarer Verknüpfung enthalten. Die einseitige Beziehung des Bildes Gottes auf die äußere Gestalt des Menschen ist auch deshalb nicht zulässig, weil wir nach der geschlechtlichen Theilung desselben in Mann und Weib doch nur das Beiden Gemeinsame festhalten dürfen, also die Schönheit der Form und vor allem den aufrechten Gang, mit dem er als „das Haupt des Erdenstaubes" (Spr. 8, 26) einherwandelt. Jedenfalls will die Urkunde den Menschen vor allen übrigen Geschöpfen als eine ganz neue Creatur hervorheben, was sich schon daraus

ergiebt, daß, wenn zuerst bei dem בָּצַר an die kunstvolle For-
mung aus Erde gedacht werden soll (26), nun aber (27) das zwei=
mal gebrauchte בָּרָא die ursprüngliche Hervorbringung Adams
noch besonders betont: denn daß diesem verb. die Bedeutung der
Neuschaffung aus einem noch nicht vorhandenen Stoffe wirklich
zukomme, zeigt V. 1 deutlich genug (vgl. auch Jes. 40, 26).
Kraft dieser Unterschiedenheit des Menschen von allen Geschöpfen
ist ihm die Herrschaft über die ganze Erde verliehen; er ist mit
Herrlichkeit und Glanz gekrönet, und Gott „hat ihm Alles unter
die Füße gethan" (Psf. 8, 7. 8 u. flg.). Unverkennbar hat die
Urkunde diese von Gott dem Menschen feierlichst ertheilte Voll=
macht, zu herrschen über alle Thiere der Erde, „über die Fische
des Meeres und über die Vögel des Himmels, über das Vieh und
über die ganze Erde, und über alles Gewimmel, das wimmelt
auf Erden", als unmittelbare Folge der Gottbildlichkeit hervor=
gekehrt, und wenn wir nur das ausdrückliche Wort des Textes
festhalten müßten, so dürften wir nicht in Abrede stellen, daß der
Erzähler jene ganz allein in dieses Königthum des Menschen ge=
setzt, wofür noch besonders die Erklärung wenigstens des ältesten
Auslegers, des Dichters des achten Psalms, aufgeführt werden
könnte. Indessen liegt die Annahme sehr nahe, daß der Bericht=
erstatter unsere Betrachtung nur auf den, so zu sagen, sinnlich=
sten, am stärksten in die Augen leuchtenden Beweis habe hinlen=
ken wollen, wie der Mensch, zwar aus Erde geformt, gleich allen
anderen Geschöpfen, doch durch das Gebieten über die Thiere sei=
nen höheren Adel vor diesen, sein Geschaffenseyn in dem Bilde
Gottes, bekunde. Es erhebt sich aber, was die Hauptsache ist,
nun erst die Frage, wodurch gerade der Mensch als der allein im
Bilde Gottes Erschaffene die Kraft empfangen habe, Herr und
Gebieter der Erde zu seyn. Wir werden diese Frage nicht besser
beantworten können, als mit den Worten des die Schöpfungs=
geschichte des Menschen wiederholenden, aber mehr erklärenden
und vervollständigenden Berichtes im zweiten Capitel, wo es

heißt: „und es bildete Jehova Elohim den Menschen aus Staub von der Erde, und hauchte in seine Nase den Athem des Lebens, und es ward der Mensch zu einer lebendigen Seele" (7). Hier=mit ist der Mensch in seiner hohen Bestimmung, eine Persönlich=keit, ja, eine Person zu seyn, den Thieren gegenübergestellt, und mit der Auszeichnung ausgerüstet, selbstthätig auf sie, wie auf die ganze Erde einzuwirken und sie zu unterjochen. Es ist sehr bedeutend, daß bei der Erschaffung der anderen Geschöpfe nur ge=sagt wird: „Gott sprach: die Erde lasse lebendige Seele hervor=gehen" (1, 24), aber der Mensch wird durch die Einhauchung des Lebensathems aus dem Munde des Schöpfers in den aus Erde geformten Leib „zur lebendigen Seele". Mit diesem einzigen Ausdruck ist Adam als eine wahrhaft wunderbare Erscheinung über das natürliche Leben der Schöpfung hinausgerückt, und steht kaum auf der Stufenleiter sämtlicher beseelter Creaturen; es fehlt ihm in diesem Sinne, aber auch nur in diesem, um mit dem Dichter zu reden, „wenig, daß er Gott" (Ps. 8, 6). Wir werden von den Thieren, weil sich in ihnen die Seele mit dem Leibe verbin=det, was freilich das Nothwendige ist, damit eine Persönlichkeit entstehe, nicht sagen können, daß sie wahrhafte Persönlichkeiten oder Personen seyen: denn in ihnen ist die Seele mit dem mate=riellen Stoffe zur Hervorbringung eines bestimmten Naturorga=nismus dergestalt verknüpft, daß sie von der Materie vorherr=schend festgehalten, nur die Befähigung besitzen, diese in Bewe=gung zu bringen und, von dem unmittelbaren Triebe der Selbst=erhaltung geleitet, mit der äußeren Natur instinktmäßig sich in Verhältniß zu setzen; sie haben Empfindung und eine Art von Bewußtseyn, nach der Verschiedenheit ihrer Einzelbildungen bald in einem höheren bald in einem niederen Grade, aber sie sind sich dieses von der Materie gefesselten Bewußtseyns nicht bewußt. Zum Begriffe der Persönlichkeit gehört allererst das Selbstbewußtseyn, und dieses wird in der oben besprochenen Stelle nur dem Men=schen zugesprochen, in dem erst eine solche Einigung des Seelischen und Materiell=Stofflichen zu Stande kömmt, daß er sich denkend über diesen Gegensatz erheben und in der Unterscheidung von dem Objecte dieses und sich selbst zum Gegenstande der Beobachtung machen kann; er hat nicht bloß eine Seele, sondern „er wird zu einer lebendigen Seele"; er ist eine נֶפֶשׁ, weshalb auch dieses Wort geradezu zur Bezeichnung der Person, des Ich gebraucht wird (3 Mos. 2, 1) und da steht, wo es auf die Hervorkehrung des Selbst besonders ankömmt, z. B. Jes. 46, 2. Die Seele wird aber in der Einigung mit dem Leibe zur Persönlichkeit in dem Selbstbewußtseyn erhöht, daß Geist (רוּחַ) ihr mitgetheilt wird, der nicht bloß in seiner allgemeinsten Bedeutung der belebende Athem, wie z. B. Jes. 42, 5, wo er mit נְשָׁמָה abwechselt, sondern in der höchsten Potenz der göttliche Geist ist. An unserer Stelle ist zwar nicht רוּחַ gesetzt, sondern נִשְׁמַת חַיִּים, weil es zunächst auf die Belebung des Staubgebildes ankömmt, aber der Begriff des Geistes ist gewiß darin mit eingeschlossen, weil der Lebensathem ihm unmittelbar von Gott eingehaucht wird. Daß in נְשָׁמָה diese Bedeutung wirklich liegen könne, ergiebt sich aus einem Ausspruche Spr. 20, 27, der hier ganz am Orte ist. Hier heißt es: „eine Leuchte Jehovas ist der Geist des Menschen, נִשְׁמַת אָדָם, durchforschend alles Innerste der Brust", was man gewöhnlich auf das Gewissen bezieht, und im Besonderen auch mit Recht; nur ist das mehr eine Anwendung, die man von dieser Stelle macht, da der allgemeinste Sinn der Wahrheit, die hier ausgesprochen werden soll, und die für uns allein in Betracht kömmt, kein anderer, als daß in der Verbindung des Geistes mit der Seele das Vermögen der Selbstbeobachtung in dem Selbstbewußtseyn gegeben sey. Ebenso können wir für unseren Zweck recht treffend an ein Wort im Buche Hiob (32, 8) erinnern: „fürwahr! der Geist, er ist's (רוּחַ הִיא) in dem Menschen, der Athem des Allmächtigen (נִשְׁמַת שַׁדַּי), der ihm Einsicht leiht".

So dürfen wir denn entschieden sagen, daß der Mensch, insofern er den Geist Gottes in sich hat und kraft desselben sich in

seinem Selbstbewußtseyn erfaßt, mit einem Worte, weil er eine
Persönlichkeit ist, König der Erde genannt werden kann, und
eben in seiner Persönlichkeit das Bild des allmächtigen Schöpfers
an sich trägt. Wir können aber dabei nicht stehen bleiben, sondern sind gedrungen, die Tiefe des Selbstbewußtseyns weiter zu
erschöpfen, und da werden wir vor allem hervorzuheben haben,
daß in dem Selbstbewußtseyn des Menschen zugleich sein Gottesbewußtseyn enthalten ist: denn indem er sich von sich selbst und
von der Welt unterscheidet, tritt ihm ein Object entgegen, dessen
Urgrund außer ihm liegt, und er gelangt, indem der Geist in ihm
sich selbst als Gottes Geist bezeugt, kraft der Überlegung zu der
einfach = wahren Frage: „der das Ohr gepflanzet hat, sollte der
nicht hören, oder der das Auge gebildet hat, sollte der nicht sehen"? (Ps. 94, 9); in dem Glauben, in der Religion, in der
die Entrückung über die Erde, die ganze Fülle der inhalts= und
beziehungsreichen Idealität des Lebens gegeben ist, in der Sich-
selbstoffenbarung Gottes im Geiste des Menschen feiert dieser seine
wahrhafte Übernatürlichkeit. In dem Selbstbewußtseyn des Menschen ist aber weiter zugleich seine Selbstbestimmbarkeit gegeben,
und auf sie haben wir wegen der folgenden Betrachtung der Geschichte von dem verbotenen Baume unsere besondere Aufmerksam-
keit zu richten. Der persönliche Mensch hat einen Willen, den er
selbstbewußt in Bewegung setzen und in der Einwirkung auf sich
und die Außenwelt selbstthätig verwirklichen kann. Das Alte Testament setzt den Willen in das לב, welches man zwar durch
Herz übersetzt, das aber weit entfernt ist, einen Gegensatz zum
ראש zu bezeichnen, wie wir Herz und Kopf, wie Gefühl und Denken, von einander unterscheiden; es ist vielmehr die Quelle und
Bildungsstätte des ganzen geistigen Lebens, aus dem die Gedanken fließen, und nur wenn wir Gefühl, das gar leicht mit der
aufgeregten Empfindung verwechselt wird, in seiner höchsten Bedeutung fassen, daß sich in ihm der ganze Vollgehalt des inneren
Lebens energisch centralisirt, sind wir berechtigt, לב in diesem

Sinne als Herz zu benennen, dem aber immer vorherrschend das Denken beigelegt wird; von Gott selbst wird daher ausgesagt, daß er ein Herz habe: „die Gedanken seines Herzens dauern von Geschlecht zu Geschlecht" (Ps. 33, 10), und es ist beachtungswerth, daß es in dem parallelen Versgliede heißt: „der Rath Jehovas besteht in Ewigkeit", wo offenbar עֵצָה die aus der Berathung hervorgehende Entschließung, den Willen ausdrückt. Das Vermögen der Willensbethätigung in der Wahlfreiheit, etwas zu lassen oder zu thun, kann aber noch nicht in Wahrheit sittliche Freiheit genannt werden: denn diese wird erst von dem Menschen erworben, wenn er im Bewußtseyn seiner Macht, „das Böse zu verwerfen und das Gute zu erwählen" (Jes. 7, 15), nach glücklich bestandener Versuchung und Prüfung sich für das Letztere entscheidet. Ehe wir aber den mit der hohen Macht der Selbstbestimmung Ausgestatteten an den Baum der Versuchung begleiten, um zu sehen, ob er die Prüfung bestehe, oder jener unterliege, wollen wir zum Schluße der Betrachtung der Gottbildlichkeit noch Etwas in ihr betonen, was in der Schöpfungsurkunde verschwiegen geblieben und doch der Erwähnung so werth gewesen. Man muß es auffallend finden, daß an keiner Stelle der Sprache, dieser lauttönenden Bekundung der königlichen Bevorzugung des Menschen vor dem Thiere, im Besonderen gedacht ist; nur wie im Vorbeigehen wird berichtet, daß Adam den ihm vorgeführten Thieren Namen gegeben. Die menschliche Gabe, zu reden, wird vorausgesetzt. Es ist aber eben die Sprache die nothwendige, sich von selbst ergebende Voraussetzung des im Bilde Gottes Erschaffenseyns, so bestimmt, daß gerade deshalb dieses prägnante Zeichen der Gottbildlichkeit nicht ausdrücklich hervorgekehrt zu werden brauchte. Denn was aus Gott selbst, wie er sich als Schöpfer offenbaret, heraustritt und recht eigentlich laut wird, ist eben sein Wort; das Wort aber ist die unmittelbarste Bezeugung des Gedankens. In dem Selbstbewußtseyn des denkenden Menschen, in seiner Persönlichkeit, liegt die Sprachbefähigung eingeschlossen.

Daher nennt er auch das Thier, das ihn umgiebt und besonders das, welches er sich zuerst dienstbar macht, indem er sich von ihm unterscheiden lernt, בהמה, das Stumme.

Nachdem Gott den Menschen in seinem Bilde erschaffen, trifft er als Vater geeignete Vorsorge zur leiblichen Ernährung und Erhaltung des Neugeborenen. Er pflanzt selbst, nach der kind= lichen Sprache des Berichtes, in dem Lande der Annehmlichkeit, בעדן, aus dessen Erde er den Adam geformt, einen östlich gele= genen, reich bewässerten Garten, welcher lauter Bäume trägt, die „lieblich zum Anschauen und gut zur Speisung" sind; zwei da= von, die in der Mitte stehen, werden besonders ausgezeichnet, „Baum des Lebens und Baum der Erkenntniß des Guten und Bösen" genannt; von der Beschaffenheit ihrer Früchte wird nichts gemeldet. In diesen Garten versetzt der Schöpfer den Menschen, „ihn zu bebauen und zu bewahren", womit angedeutet wird, daß Adam nicht bloß zum Genießen, sondern zur Arbeit von Anfang an bestimmt, und ihm in dieser Beschäftigung die erste, seinem Naturzustande allein angemessene Bedingung zur geistigen Ent= wickelung gegeben war. Es hält freilich schwer, sich von der Art der Bebauung des Gartens, und worin die Bewahrung desselben bestanden, nun irgend eine haltbare Vorstellung zu bilden. Las= sen wir daher dergleichen Fragen, auf die unser Text keine Aus= kunft giebt, bei Seite, und wenden uns vor allem dem Baume zu, der, neben dem des Lebens gepflanzt, der Baum des Todes werden sollte. Jehova Elohim gebot dem Menschen also: „von jedem Baume des Gartens darfst du zuversichtlich essen, aber von dem Baume der Erkenntniß des Guten und Bösen, von ihm sollst du nicht essen: denn an dem Tage, wo du davon issest, wirst du gewißlich sterben" (2, 16. 17), so daß in dem מות תמות, der Form nach dem אכל תאכל entsprechend, keine andere Bedeu= tung, als die der festen Bestimmtheit zu suchen ist. Wir müssen nach Anleitung der gegebnen Erzählung hinzudenken, daß Gott auf den Baum der Ausnahme für den Menschen hingedeutet habe, weil wir sonst nicht verstehen würden, wie Adam ihn habe von anderen Bäumen unterscheiden können: denn die Benennung: „Baum der Erkenntniß des Guten und Bösen" ist eine rein = ab= stracte, von der Wirkung des Genusses der Früchte entlehnte, deren Sinn sich erst aus der Erfahrung erschließen konnte. Adam und Eva, deren Erschaffung der zweite Schöpfungsbericht mit der erst nach dem Hervortreten des Menschenpaares erfolgenden Bil= dung der Thiere so in Verbindung setzt, daß jener, von dem Gott sagt, daß sein Alleinseyn nicht „gut", weßhalb er ihm eine „Hülfe machen wolle, die vor ihm und ihm gleich sey," diese unter den ihm vorgeführten Thieren nicht findet und sie erst in dem „aus seinem Gebein und seinem Fleisch" wohlgeformten Weibe (נקבה) erkennt, werden mit jenem Ausdrucke, von dem ihnen noch die Er= kenntniß fehlt, offenbar als Kinder dargestellt: denn auch 5 Mos. 1, 39 werden die Kinder als diejenigen bezeichnet, „welche nicht Gutes und Böses kennen", aber ausdrücklich von dem טף, dem Kleinen, das noch nicht recht gehen kann, unterschieden; ebenso nennt sich der achtzigjährige Barsillai, als wäre er wieder Kind geworden, einen solchen, der nicht mehr „zwischen Gutem und Bösem unterscheiden könne" (2 Sam. 19, 36). Und aus dem gleichen Grunde konnten Adam und Eva auch noch kein Ver= ständniß von dem Tode haben. Hier liegt uns nun aber ein Stein des Anstoßes vor den Füßen, den wir nicht hinwegzuräumen ver= mögen, daß wir uns die Stammeltern als bereits leiblich Erwach= sene, welche das Paradies bebauen und bewahren, und zugleich doch als psychisch Unentwickelte vorstellen sollen. Wenn wir auf diese Vorstellung des Verfassers unserer Urkunde, uns aller wei= teren Bedenklichkeiten entschlagend, eingehen, daß die Protopla= sten erwachsene Kinder gewesen, so vermögen wir nimmermehr uns einen solchen Begriff von ihrer Unschuld zu bilden, als wäre in ihnen ursprünglich nur Gutes gelegen: denn wie hätten sie zur Unterscheidung desselben vom Bösen gelangen können, wenn sie nicht beides schon im Keime in sich gehabt? — Gegen diese nothwen=

dige Voraussetzung erhebt der Text auch gar keine Einsprache, in=
sofern es sich ja bei dem יָדַע nur um ein wirkliches Wissen, um
eine erfahrungsmäßige Erkenntniß handelt. Demnach können wir
die Heiligkeit nicht zum Grundzuge der anerschaffenen Gottbild=
lichkeit des Menschen rechnen, und noch weniger den ursprünglichen
Zustand desselben in Gerechtigkeit und Weisheit setzen: denn die=
ses sind ethische Virtuositäten, die erst aus dem sittlichen Handeln
gewonnen werden. Wollten wir dennoch Gerechtigkeit und Weis=
heit als in dem Menschen ursprünglich ruhende Eigenschaften uns
denkbar machen, so daß er vor dem Genusse von dem verbotenen
Baume religiös = sittliche Vollkommenheit besessen, so hätte Gott
ihm diesen zu verbieten, ja, ihn zu pflanzen nicht nöthig gehabt.
Aber Gott hat ihn nun einmal gepflanzt und verboten, und also
für nothwendig erachtet, damit er dem Menschen zur Versuchung
werde, die dieser freilich, wie uns berichtet wird, nicht bestand.
Adam, von der Eva verleitet, und diese von der Schlange ver=
führt, ißt mit dem Weibe von dem Baume; sie fallen in Sünde
und Schuld, die sie, zur Strafe aus dem Paradiese vertrieben,
mit dem Verluste des Lebensbaumes büßen müssen. Der Begriff
der Versuchung ist schlechterdings unvollziehbar, ohne wenigstens
ein Geringstes von Bösem in dem Menschen vorauszusetzen. Nur
Sünde war nicht in ihm: denn sie ist erst die Folge des Über=
gewichtes des Bösen über das Gute. Es ist kaum möglich, einen
Ausdruck ausfindig zu machen, der die vorsündliche Beschaffenheit
des Menschen treffend bezeichnete; den glücklichsten hat vielleicht
der Prediger Salomo gewählt, wenn er sagt: „Gott schuf den
Menschen gerade, יָשָׁר, aber sie suchen חִשְּׁבֹנוֹת רַבִּים d. i. viele
künstlich ersonnene Gedankenbildungen" (7, 29). Diese waren
noch nicht in dem Menschen, bevor er Gottes Gebot übertreten,
aber sie schlummern bereits, und sie erwachen, sobald das gesunde
und gerade Verhältniß zwischen Gut und Bös durch die Ver=
führung gestört worden.

Es ist nicht leicht, bei der Naivetät der Erzählung, die sich

jeder Reflexion und Speculation enthalten muß, verwirrende Vor=
stellungen abzuwehren.   Wenn wir uns über den Urzustand der
Stammeltern möglichst aufzuklären suchen, was immer nur, wie
die Geschichte der Auslegung zeigt, bis auf einen gewissen Grad
gelingen wird, so versteht es sich doch von selbst, daß, indem wir
zugeben müssen, jene wären nicht bloß gut, sondern auch schon
anfänglich nicht ganz gut gewesen, diese Unterscheidung nur eine
für uns zur Darstellung ihrer inneren Verfassung unvermeidliche
Bezeichnung ist.   Denn in Wirklichkeit waren sie weder gut noch
böse, bevor sie den Unterschied von beidem erkannt hatten; inso=
fern mag man sie vor der Erkenntniß des Bösen immerhin gut
nennen, nur nicht nach dem Begriffe des Worts, wie er erst nach
dem Falle in dem bewußten Gegensatze zu dem Bösen hervortre=
ten konnte.   Schon hier drängt sich uns aber die unabweisbare
Frage auf, wie das, welches vorerst weder gut noch böse war,
nachher zum Bösen werden konnte, und es ist zur Beantwortung
derselben nichts gewonnen, wenn wir aus dem Buche der Weis=
heit (2, 24) unsere Weisheit entlehnen, und die Schlange geradezu
in den Teufel verwandeln, oder wenigstens den Erzfeind des Gu=
ten aus ihrer Maske herausreden lassen: denn wie hätte er doch
eine besiegende Macht über den rein gut geschaffenen Menschen ha=
ben können, wenn er für seine Einwirkung auf ihn nicht eine der=
selben entsprechende Stelle in ihm vorgefunden? — Mit der blo=
ßen Sinnlichkeit reichen wir nicht aus: denn wenn der Mensch,
aus Geist und Fleisch zusammengesetzt, nur gut gewesen, so würde
jene bei der von Außen kommenden Versuchung sich in ihrer auf=
geregten Bewegung, gerade kraft des Gegendruckes vom Geiste,
diesem zugewendet haben.   Es muß also schon in ihr etwas nicht
ganz Gutes enthalten gewesen seyn.   Die „Möglichkeit" zum
Sündigen giebt man zu; macht man aber Ernst mit diesem Worte,
so verwandelt es sich immer wieder in eine „Anlage" und wie
kann man diese denken, ohne wenigstens dem schwächsten Grade
nach ein Nicht=Gutes in sie hineinzusetzen? — Ohne diese Vor=

aussetzung wäre der Teufel gar kein Versucher und Verführer, wie er sich doch nach dem klaren Texte zu erkennen giebt, sondern ein magisch=gewaltsamer Ausrotter des Guten gewesen, und da mag man zusehen, wie man mit dem Gotte der heiligen Allmacht zurecht kommen kann. Ebenso wenig nützt uns aber auch die Auskunft, um sich die durch die Schlange herbeigeführte Katastrophe zu erklä= ren, daß schon jenseits des irdischen Daseyns der Mensch durch eigene Selbstbestimmung sich vom Lichte der Finsterniß zugewandt habe: denn wir schieben das Räthsel nur in eine dunkle, zeitlose Region hinein, dessen Lösung von einem undurchdringlichen Dun= kel umhüllt bleibt, und wobei überdieß, was die Hauptsache ist, dieselben Schwierigkeiten, einen Abfall des Guten zum Bösen denkbar zu machen, uns entgegentreten. Wir sind bei unserer Forschung nun einmal auf die Erde und in die Zeit gestellt: denn auf der Erde und von der Erde nimmt der Mensch seinen Anfang. Das Alte Testament weiß überhaupt von einer Präexistenz der Seelen nichts, und die einzige, noch am ersten in Betracht kom= mende Stelle Ps. 139, 15 kann wenigstens nicht mit Entschieden= heit für diese Lehre benutzt werden, da das בְּתַחְתִּיּוֹת אָֽרֶץ „in den Tiefen der Erde“, dem בַּסֵּתֶר „im Verborgenen“ parallel, am leichtesten bildlich von dem Mutterschoße (13), in dessen geheim= nißvoller Bildungsstätte Gott das kunstreiche Geflechte des mensch= lichen Leibes webt (Pred. Sal. 11, 5), verstanden wird; anders verhält sich's in dem apokryphischen Buche der Weisheit (8, 20), wo bestimmt gesagt ist, daß Salomos Seele, weil sie gut gewesen, in einen fleckenlosen Körper (εἰς σῶμα ἀμίαντον) gekommen. Gott formt nach dem deutlichen Worte der Schrift den Leib des Men= schen aus Erde, und haucht ihm seinen Athem ein, wodurch er zu einer lebendigen Seele wird. Die נֶפֶשׁ setzt das Alte Testa= ment in das Blut, und durch die Erkennung des Weibes von Seiten des Mannes pflanzt sie sich kraft ihrer einmaligen Verbin= dung mit dem leiblichen Elemente fort.

Untersuchen wir aber nun weiter, indem wir weder Gott als

Urheber des Bösen betrachten dürfen, noch den Teufel dazu machen können, der bei einer vorurtheilsfreien Textesbeleuchtung vorderhand entfernt bleiben muß, wie jenes dennoch möglich geworden, so läßt sich exegetisch nicht anders urtheilen, als daß entweder das Problem in unserer Urkunde ungelöst geblieben, oder daß sie die Entstehung des Bösen in der ursprünglichen Beschaffenheit des Menschen, wie sich von selbst ergebend, bedingt gefunden. Adam war nun einmal Adam, und nicht als reiner Geist geschaffen. Durch seine Bildung aus dem Staube ward er zum בָּשָׂר, zum Fleische, und durch die Einathmung der göttlichen נִשְׁמָה zum Geiste, zu einer Persönlichkeit, die kraft dieses Gegensatzes beim Erwachen in einer schon vorhandenen sinnlich = materiellen Welt von dieser gereizt und in einen Streit mit dem ihm einwohnenden Geiste, der in der Freiheit seiner Selbstbestimmung der Willkühr gebieten soll, gesetzt werden mußte. In der Materie, dem nothwendigen Gegenbilde des Geistes nach dem Begriffe einer wahrhaften Schöpfung der Welt, liegt die Auflehnung und Widersetzlichkeit gegen Gott, und das Alte Testament ist weit davon entfernt, auf den Hochgebirgen seiner erhabensten Poesie nur die glanzvollen Schwingen freier Phantasie zu regen, wenn es so häufig den gewaltigen, siegreichen Kampf des Herrn Himmels und der Erde mit den Mächten der Natur beschreibt; hinter der bildlichen Hülle des prachtvoll = schildernden Wortes, wie Jehova Zebaoth „dem Trotze des Meeres dräuet", und in stiller Größe über den geebneten Höhen seiner empörten Wogen dahinwandelt, „die Berge wegrückt, daß sie's nicht wissen, die Erde aufregt von ihrer Stätte, daß ihre Säulen beben, und die Sterne des Himmels versiegelt" (Hi. 9, 5 — 10) —, hinter allen solchen wunderbarergreifenden Reden leuchtet ein unverkennbarer Ernst tiefempfundener Wahrheit. — Diese Macht nun der sich gegen den Geist auflehnenden Materie mußte auch schon der erste Mensch erfahren, und indem er trotz seiner Gottbildlichkeit, die ihm das Vermögen verliehen, dem Fleische zu widerstehen und sich dem Geiste zuzuwenden, sich dennoch für den Willen des ersteren entscheidet, wird er durch den Misbrauch dieser ihm einwohnenden Freiheit selbst Urheber des Bösen und trägt die Schuld der Versündigung ganz allein. Wollte man aber die Frage aufwerfen, warum Gott eine materielle Welt, und, indem er das Böse nicht wollen konnte, doch die Möglichkeit desselben gesetzt, so kann man allererst vom theistischen Standpunkte des Alten Testamentes darauf nur erwiedern, daß es dem Schöpfer als solchem nach seiner ewigen Weisheit nothwendig gewesen. „Wer kann zu ihm sagen: was machst du?" (Jes. 45, 9; Hi. 9, 12). Der Einwurf, daß sich der Schöpfungsbericht in einen Widerspruch mit sich selbst verwickele, wenn er Gott Alles, was aus seiner Hand hervorgegangen, gut, ja, sehr gut nennen lasse, und ihm dann, nach unserer Betrachtung, Adam, weil er aus Erde gebildet worden, doch nicht „sehr gut" seyn könne, hat nur eine scheinbare Berechtigung. Jene Billigungsformel des allmächtigen und allweisen Künstlers behält auch für uns eine Wahrheit, und es ist gewiß auch nur die, welche allein in ihr liegen soll: denn gut und schön — beides bezeichnet das טוב — war das Kunstwerk des Alles voraussehenden Schöpfers nach seinem Endzwecke vollkommen gerathen. Aber gerade den Endzweck der Schöpfung setzt man gewöhnlich in unserer ganzen Untersuchung hintan; man will die Welt gleich fertig haben, und macht, damit wir es absichtlich recht stark ausdrücken, den ersten Adam schon zum zweiten, im vollen Widerspruche mit der heiligen Ökonomie Gottes, wie sie sich uns in der Verbindung des Alten Testamentes mit dem Neuen darlegt. Ehe wir uns aber tiefer in den Text hineinbegeben, wollen wir hier nur noch die Frage aufwerfen: warum hat denn Gott nicht den Menschen aus den Stoffen des lichten, von der finsteren Erde geschiedenen Himmels gebildet? und ist denn dieser rein in seinen Augen? sind nicht selbst die Engel, die „Gottessöhne" solche, denen er „Mangel" beilegt (Hi. 4, 18)? und wie steht es nun vollends mit denen, welche „Bewohner von Lehmhütten sind, und deren Grund auf Staub" (19)? Es verdient aber bemerkt zu werden, daß diese Erinnerung an die leiblich=materielle Abkunft des Menschen hier gar nicht zunächst auf seine irdische Hinfälligkeit, sondern im Zusammenhange mit dem Vorhergehenden auf seine natürliche Unreinheit zu beziehen ist. Wollte man gegen diese Benutzung der Stelle die Einwendung geltend machen, daß hier nur von der Sündhaftigkeit des Menschen nach dem Falle die Rede sey, so scheint man zu vergessen, daß Adam ja schon vorher dieselbe Lehmhütte bewohnt, wenn sie sich auch später verschlimmert haben sollte, was wir nicht in Abrede stellen wollen.

Wir sind nun zu dem Ergebnisse gelangt, daß zur Gottbild=lichkeit des Menschen seine religiös=sittliche Vollkommenheit keinesweges gehörte. Dasselbe müssen wir auch von der Unsterblichkeit behaupten. Der Baum des Lebens würde gar keine Bedeutung haben, wenn er nicht zur Auszeichnung vor den übrigen Bäumen hätte die Kraft in sich tragen sollen, erst Früchte zur Erhaltung der beständigen Dauer des Menschen zu tragen, dem er nicht verboten war (2, 16). Freilich scheint das גַּם (3, 22) zu der Voraussetzung zu berechtigen, daß ihm auch der Genuß von dem עֵץ הַחַיִּים, bei dem man die Hervorhebung des Lebens durch das ה des Artikels nicht übersehen wolle, gleich anfangs sey versagt gewesen; indessen würde dieses schon vorher (2, 16) bestimmt bemerkt worden seyn, wenn wir uns zu einer solchen Annahme verstehen sollten. Es ist daher jenes „auch" nur so zu erklären, daß Gott, nachdem er bereits dem Menschen den Tod als Strafe verkündet (19), ihn aus dem Garten des Lebens entfernen muß, damit er nicht „auch" noch von diesem „esse und ewig lebe", wie er von jenem der Erkenntniß des Guten und Bösen genommen. Als Erdensohn war der Mensch nach seiner physischen Lebenskraft der allmähligen Verzehrung derselben im Hinaltern unterworfen, und die Pflanzung des Baumes wäre unnöthig gewesen, wenn er schon in dem eingehauchten Athem des ewigen Gottes das hinlängliche Schutzmittel gegen das Vergehen des Leibes in sich getragen.

2

Daher können wir auch dem Verfasser des Buches der Weisheit nicht beistimmen, der die Gottbildlichkeit in die Unsterblichkeit setzt (2, 23). Den Baum des Lebens hat der Mensch verloren, aber die Gottbildlichkeit ist ihm geblieben (Gen. 9, 6 und Ps. 8), obschon durch die begangene Sünde geschwächt und getrübt.

Es wird jetzt unsere besondere Aufgabe, der Entstehung der Sünde genauer zuzusehen, und den Hergang der Vertreibung aus dem Paradiese uns im Einzelnen zu vergegenwärtigen. Hier müssen wir vor allem die nähere Bekanntschaft mit der Schlange machen.

Der nach dem Bilde Gottes Erschaffene war mit den aus Erde geformten Thieren bereits in Verhältniß getreten: denn Gott hatte die anderen Geschöpfe in's Leben gerufen, weil er es nicht für gut gehalten, daß Adam allein sey, und er ihm daher ein עֵזֶר כְּנֶגְדּוֹ d. i. „eine Hülfe ihm gemäs und vor ihm" machen wollte. Aber der Versuch mislang. Die Thiere werden ihm einzeln vorgeführt, daß er sich eine Hülfe aus ihnen wähle, aber er findet sie nicht darunter, und giebt ihnen nur bei dieser Gelegenheit ihre Namen, indem das, was er einem jeden, offenbar nach dem Eindrucke, den es auf ihn macht, als ein mit lebendigem Athem Begabter und also Sprachbefähigter, als eine נֶפֶשׁ חַיָּה, zuruft, seine unterscheidende Bezeichnung seyn sollte. Erst als das aus einer seiner Rippen wohlgebaute Weib ihm von Gott gebracht wurde, erkennt er es als ein ihm angemessenes Geschöpf an, indem er sagt: „dieses Mal ist es Gebein von meinen Gebeinen, und Fleisch von meinem Fleische". Unter den Thieren tritt nun eines für die Geschichte Adams hochbedeutend und verhängnißvoll hervor, der נָחָשׁ, die Schlange, von der es heißt, „daß sie listiger, als alle Thiere des Feldes gewesen, die Gott gemacht". Es ist aber bemerkenswerth, daß die Urkunde, nachdem sie unmittelbar vorher bei der Erwähnung, daß Mann und Weib nackt, עֲרוּמִּים gewesen und sich nicht geschämt, von der Schlange dasselbe Wort braucht, so daß darin eine Absicht gesucht

werden muß. Wir werden nicht irren, wenn wir einen Doppelsinn darin finden. Gewiß steht das עָרוּם, wie die Schlange im
Folgenden die Sprache der Verführung redet, in der üblen Bedeutung des „Listigen"; „sie wählt die Zunge der listig Über-
redenden", תְּבַחַר לְשׁוֹן עֲרוּמִים (Hi. 15, 5), aber wir sollen dabei auch nach der ursprünglichen Bedeutung des Worts an ihre
auf die Stammeltern günstigen Eindruck machende nackte und
glatte Außenseite denken, wogegen nicht eingewendet werden kann,
daß „nackt" עֵירֹם oder עָרֹם (2, 25), im plur. עֵירֻמִּים, „listig"
aber עָרוּם, pl. עֲרוּמִים ausgesprochen werden müsse: denn es ist
noch sehr die Frage, ob nicht עֲרוּמִים zu punctiren sey, was wenigstens wegen des gleich darauf gesetzten עָרוּם wahrscheinlicher;
jedenfalls kömmt es hier aber auf den berechneten Gleichklang und
auf die sinnig gewählte ursprünglich übereinstimmende Bedeutung
an. Weil die Schlange ohne Bedeckung nackt war, hatte sie das
Ansehen der nackten Menschen, die in ihrer kindlichen Unschuld
sich der Nacktheit nicht schämten; sie trug wie sie, so zu sagen,
das Kleid der Unschuld und wirkte dadurch schon äußerlich auf die
Unschuldigen. Aber dennoch war ein Unterschied, ja, gerade ein
Gegensatz zwischen beiden; die Nackte war als solche nicht unschul-
dig, sondern verschmitzt, und täuschte versuchend und verführend
die in ihrer Nacktheit Unschuldigen. So ist eine feine Ironie in
dem erzählenden Texte unverkennbar. Nachdem nun die Schlange
Vertrauen erweckend und vertraulich sich den Menschen genahet,
entfaltet sie ihre List meisterhaft. Sie wendet sich mit ihrer Anrede an das Weib, das aus dem Manne genommen und die schwä-
chere Hälfte desselben (Hi. 14, 1). Mit der zweifelnden Frage
אַף כִּי (1 Sam. 23, 3) in Verstellung beginnend „hat denn wirklich Gott gesagt: ihr sollt nicht essen von allen Bäumen des
Gartens"? sucht sie zuerst das Weib an dem unbefangen aufge-
nommenen Worte Gottes durch Aufregung der Reflexion irre zu
machen, und den Zweifel in seine Seele zu bringen. Die Frage
thut auch sogleich ihre Wirkung, so daß das Weib in der bejahen-

den Beantwortung derselben sich nicht genau an die Wahrheit hält; es berichtet das Wort Gottes nicht treu, indem es unbestimmt den verbotenen Baum nur als den in der Mitte des Gartens befindlichen bezeichnet, wo aber auch der Baum des Lebens stand, und es übertreibt in seiner Verdrießlichkeit über das Verbot, dasselbe noch verstärkend, als habe Gott gesagt, „ihr sollt den Baum nicht einmal berühren"; es verringert endlich auch in der sich bereits regenden Lust das Gewicht des angekündigten Strafworts, indem es das verstärkende מות vor תמתון ausläßt und auch das ביום אכלך, „am Tage, wo du davon issest, wirst du des Todes sterben", verschweigt. Zwar hat dieß Adam zuerst allein gehört, aber es ist doch nicht anzunehmen, daß er gerade diese Worte, die so bedeutend die Folge des Genusses der verbotenen Frucht einschärften, dem Weibe sollte vorenthalten haben; Vergessenheit konnte es von seiner Seite unmöglich gewesen seyn, und für eine absichtliche Auslassung ergiebt sich kein Grund. Wenden wir uns nun zur Schlange, wie sie ihr Werk der Verführung durch ihr Wort ausrichtet, so ergiebt sich dieses als ein wohlberechnetes, kluges Wort. Sie sagt vor allem im bewußten Widerspruche gegen die Wahrheit der göttlichen Ankündigung „am Tage, wo du davon issest, wirst du des Todes sterben" in dem zuversichtlichsten, entschiedensten und dadurch eindruckvollsten Tone: „ihr werdet nicht des Todes sterben", den ganzen und vollen Ausdruck מות תמתון, wie Gott selbst gebrauchend und insofern treu berichtend, aber das gegensätzliche, die Rede beginnende לא hinzufügend. Sie ist nicht abgeneigt, dem wohl gemeinten Worte des göttlichen Gebotes: „du sollst nicht essen von dem Baume der Erkenntniß des Guten und Bösen" einen andern Grund unterzulegen, und zwar den, als wenn Gott nur nicht wolle, daß sie ihm in der Erkenntniß des Guten und Bösen gleich werden sollten, und so stört sie das Vertrauen zu ihm, und stachelt den Hochmuth auf. Endlich bedient sie sich eines neuen, reizenden Ausdrucks, „ihre Augen würden aufgethan werden", der auch wirklich in Erfüllung ging, aber nicht zum Guten, wie ihn die Menschen verstehen mußten, sondern zum Schlimmen. Wir sehen, wie die Worte der Schlange auf das Weib die wohl berechnete Wirkung nicht verfehlen: denn seine Augen, die Vermittlerinnen zwischen der Sinnlichkeit und der Außenwelt, erblicken nun erst den verbotenen Baum „als gut zum Essen, und eine Lust für die Augen, begehrungswerth לְהַשְׂכִּיל d. i. klug und glücklich zu machen". Und so folgt schnell die Hand dem Auge, „und das Weib nahm von seiner Frucht und aß". Aber die Frau gab nun auch ihrem Manne, der neben ihr stehend die Worte der Schlange mitangehört, und er aß. Bei der bewunderungswürdig-wahren Kürze der Erzählung von der Raschheit des Vorganges scheint es, daß wir annehmen sollen, die Frau habe nicht einmal noch eine andere Frucht vom Baume gepflückt, sondern die ihrige mit dem Manne getheilt, und wir hören auch nicht ein Wörtchen des Widerstrebens aus dem Munde des Mannes, obschon an ihn allein das Verbot des Baumes von Gott ergangen war; sein Mund redet nicht, sondern er ißt. Auf der Stelle erfüllt sich nun auch die lockende Vorhersagung der betrügerischen Schlange: ihre Augen werden aufgethan; sie sehen, was sie vorher nicht sahen, sie gelangen zu einer Erkenntniß, die sie bis jetzt nicht hatten, ja, sie sind im Sinne der Vorspiegelung der Versucherin wie Gott geworden: sie erkennen Gutes und Böses, aber — sie gewinnen diese Unterscheidung nur darin, daß sie sich als nackt erkennen, worauf sie bei der Wahrnehmung ihrer geschlechtlichen Verschiedenheit sich aus Feigenblättern Gürtel bereiten, um ihre Blöße zu bedecken. Ihre Erkenntniß des Guten und Bösen hat ihnen nicht Gutes, sondern Böses gebracht, den Verlust ihrer Unschuld. So ist denn die erste Folge der Übertretung des göttlichen Gebotes das Gefühl der Schaam, und damit ist zugleich auf die feinste und zarteste Weise stillschweigend angedeutet, wie nun durch die Wahrnehmung des geschlechtlichen Unterschiedes in der „Erkennung des Weibes" von Seiten des Mannes die Bedingung der Fortpflanzung des

Menschenpaares gegeben war. Als die zweite Folge der Sünde tritt sodann die Furcht hervor: denn als sie die Stimme Gottes hören, der in der Abendkühle desselben Tages im Garten wandelt, verbergen sie sich beide vor ihm mitten unter den Bäumen des Gartens. Und als die Stimme Gottes dem Adam die hochbedeu= tende Frage zuruft: „wo bist du"? macht sich die dritte Folge des Ungehorsams geltend, die Unwahrheit: denn Adam hat zwar da= rin recht, daß er sich aus Furcht versteckt, weil er nackt sey, aber er versteckt sich nicht nur hinter den Bäumen, sondern auch hin= ter seinen Worten, indem er die eigentliche Ursache der Furcht verschweigt, da er sich doch in der Erinnerung, wie er sich vor dem Genusse der verbotenen Frucht seiner Nacktheit nicht geschämt, des wahren Grundes, warum er Gott ausweiche, bewußt seyn mußte. Gott richtet daher die neue, ihn zum Geständniß seines Ungehorsams bringende Frage an ihn: „wer hat dir gesagt, daß du nackt bist? hast du etwa von dem Baume gegessen, von dem ich dir geboten: du sollst nicht von ihm essen"? Aber statt in Reue einfach und schlicht mit Ja zu antworten und Gott um Ver= zeihung zu bitten, schiebt er vor allem die Schuld auf das Weib, und so kömmt die vierte Folge der Erkenntniß des Guten und Bösen zum Vorschein, die Selbstentschuldigung, und Adam geht darin sogar so weit, daß er nicht bei dem Weibe stehen bleibt, son= dern in dem „das du mir beigegeben", wenigstens andeutend zu verstehen giebt, daß die erste Ursache in Gott selbst zu suchen sey, und in diesem Mangel an Ehrfurcht und Dankbarkeit gegen den gütigen Schöpfer, der ihm das Paradies gepflanzt, verräth er die erste Spur der Schaamlosigkeit in der Schaamhaftigkeit. Von der Schlange, die ihn in das Böse verwickelt hat, schweigt er dagegen gänzlich. Als aber in dem Verhöre Gottes die Reihe an das Weib kömmt, bekennt es sogleich, daß es die Schlange getäuscht und zum Essen verführt habe, wobei durch den Gleichklang der הָאִשָּׁה mit הַנָּחָשׁ auf die leichtere Verführbarkeit derselben in der Urkunde hingedeutet wird. Indem sich Gott nun an die Schlange wendet,

fragt er sie nicht wie das Weib „warum hast du dieß gethan“? son=
dern mit dem „weil du dieß gethan“ verkündigt er ihr sogleich ihre
Verfluchung vor allem Vieh und allen Thieren des Feldes: „sie soll
auf dem Bauche gehen und Staub fressen alle Tage ihres Lebens“
(Mich. 7, 17), woraus hervorgeht, daß wir uns die Schlange vor
ihrer Verführung des Weibes als aufrecht sich fortbewegend vorstel=
len sollen, was freilich für die Zustandebringung einer bestimmten
Anschauung mit Schwierigkeiten verbunden ist, aber doch immer
leichter anzunehmen wäre, als daß sie früher auf Füßen gegangen,
die ihr nun genommen worden. Auffallender aber ist, daß die
Schlange vorher als redend aufgeführt wird, während sie jetzt
diese Begabung nicht hat, und es also zu erwarten gewesen, daß
eher diese, wodurch sie den Menschen als Verführerin Verderben
gebracht, ihr entzogen worden, als die in dieser Beziehung un=
schuldige Befähigung, aufrecht zu gehen und nicht im Staube sich
hinwinden zu müssen. In dieser an den Staub der Erde gebann=
ten Fortbewegung der Schlange liegt auch der äußere Grund, wa=
rum sie in der von nun an von Gott gesetzten Feindschaft zwi=
schen ihr und dem Weibe, und ihrem Samen und dem Weibes=
samen, die im nunmehrigen Gegensatz an die Stelle der verderb=
lichen einschmeichelnden Freundschaft treten soll, nur die Macht
hat, dem Samen des Weibes in die Ferse zu stechen (vgl. dazu
Gen. 49, 17), während dieser in dem für ihn vortheilhafteren
Kampfe ihr nach dem Kopfe trachten soll. Dem Weibe aber, das
sich durch die sinnliche Lust hat hinreißen lassen, soll dafür mit
Schmerz gelohnt werden, und zwar gerade nach seiner geschlecht=
lichen Organisation am empfindlichsten, in Folge der Empfängniß,
bei der schmerzhaften Geburt der Kinder; dennoch aber soll ihre
Liebeslust immer nach ihrem Manne gerichtet seyn, und er soll
über sie herrschen. Dem Manne endlich, weil er auf die Stimme
seines Weibes gehört und von dem verbotenen Baume gegessen,
wird statt des mühelosen Genusses der Früchte des Paradieses der
Schmerz anstrengender Arbeit sein ganzes Leben hindurch in der

Selbstbereitung seiner Nahrung zu Theil; die um seinetwillen verfluchte Erde wird ihm Dornen und Disteln tragen, und er soll das Kraut des Feldes essen, womit aber gewiß nicht gesagt ist, daß er sich nur von Gemüße nähren soll: denn unter dem עֵשֶׂב ist im allgemeinsten Sinne alles zu verstehen, was dem קוֹץ וְדַרְדַּר entgegengesetzt ist, Alles, was die Erde sonst zur Nahrung trägt; Ps. 104, 14 ist zu dem Worte ergänzend hinzugesetzt לַעֲבֹדַת הָאָדָם „zur Bearbeitung für den Menschen", לְהוֹצִיא לֶחֶם מִן־הָאָרֶץ „um Brod aus der Erde zu ziehen". Der Fleischspeisen wird gar nicht gedacht, aber sie werden auch nicht verboten; es kömmt der Urkunde nur darauf an, dem freien Leben in dem Paradiese gegenüber den Menschen in seiner Gebundenheit an die mühevolle Bearbeitung der Erdscholle hinzustellen, und mit dem בְּזֵעַת אַפֶּיךָ הֹאכַל לֶחֶם ist Alles gesagt, um auszudrücken, wie der Mensch in rastloser Arbeit nicht außer Athem kommen soll. Man kann immerhin übersetzen: „im Schweiße deines Angesichtes sollst du dein Brod essen", aber זֵעָה, allerdings im Syr. und Thalm. „Schweiß", ist doch ursprünglich „heftige Bewegung", und da es mit אַפֶּיךָ und nicht פָּנֶיךָ verbunden, so versinnlicht der Ausdruck treffend das rastlos Außerathemgesetztseyn des Menschen. Ohne Arbeit sollte er freilich auch im Garten Edens nicht seyn, sondern Gott hatte ihn dahin gesetzt, „ihn zu bebauen und ihn zu bewachen", welche Worte aber für uns einen unbestimmbaren Sinn behalten, da wir uns keine Vorstellung darüber zu bilden im Stande sind, worin die Bebauung des Paradieses bestanden und worauf sich die Bewachung desselben bezogen. Wir enthalten uns absichtlich aller Vermuthungen, da sie zur Aufklärung dessen, was hier nur allein unsre Beobachtung in Anspruch nimmt, nichts fruchten. Wichtiger ist uns das letzte Strafwort des Schöpfers, daß der Mensch am Ende aller seiner Müh' und Arbeit „zurückkehren solle zur Erde, aus der er genommen; denn Staub sey er, und zum Staube solle er wiederkehren". Es ist nicht ohne Bedeutung und Absicht, wenn unmittelbar auf diese Verkündigung des Todes erwähnt wird, daß Adam, nicht Gott selbst, seinem Weibe den Namen חַוָּה d. i. lebendig Machende, gegeben, „weil sie die Mutter alles Lebendigen seyn soll"; als habe er sich über das zeitliche Zerfallen des einzelnen Menschen in Staub doch wenigstens damit getröstet, daß das menschliche Geschlecht in der Kindergebärerin Eva erhalten werde. Und ebenso bildet einen unverkennbaren Gegendruck der Liebe Gottes gegen seinen Zorn die gleich folgende Hinzufügung, daß er Adam und seinem Weibe Leibröcke von Fellen gemacht, um sie zu bekleiden, ehe er sie aus dem Garten der Wonne hinaussende, „die Erde zu bebauen, aus der er genommen". Bevor dieses aber geschieht, läßt die Urkunde Gott noch das merkwürdige Wort aussprechen: „siehe! der Mensch ist geworden wie Einer von uns, zu erkennen das Gute und Böse", und so hätte ja die Schlange doch Recht gehabt und nicht nur die schwache Eva, sondern Gott selbst überlistet. Die Schlange wäre dann weiser gewesen, als Gott, und hätte seine Absicht mit dem Menschen, ihm in seiner Gottbildlichkeit die paradiesische Unschuld zu bewahren, zu einem verunglückten Versuche gemacht. Das sey ferne! Der Versuch, den Gott selbst als mißlingend vorhersehen mußte, obschon er ihn um der anerschaffenen Selbstbestimmbarkeit des Menschen willen, nicht unterlassen durfte, hat in dieser Wendung eine viel herrlichere, ja die herrlichste Frucht getragen. Durch die Nothwendigkeit eines neuen Heilsplanes, Sünde und Tod wieder zu vertilgen, konnte Gott nun erst die ganze Fülle und Tiefe seines Wesens der Gerechtigkeit, Liebe und Weisheit offenbaren, und der Menschheit wurde durch die Herausgeburt des neuen Adam aus ihr mittelst des Geistes Gottes der höchste Adel verliehen. Freilich ohne diese theologisch = messianische Betrachtung wäre die Sünde nur der nothwendige Durchgangspunct zur höchsten Entwickelung des Menschen zur Gottgleichheit in der Erkenntniß des Guten und Bösen gewesen. Dann würden wir auf dem speculativen Standpunct in der dialectischen Fortbewegung des Gedankens zu der bedenklichen Folgerung hingetrieben, daß entweder Gott selbst einen Rechnungsfehler begangen, da wir doch nimmermehr jenes Wort „der Mensch ist geworden wie Einer von uns, zu erkennen das Gute und Böse" im Zusammenhange mit seinen Strafurtheilen wegen des Essens von dem verbotenen Baume als einen Ausdruck seiner zufriedenen Billigung ansehen dürfen, oder daß die Urkunde in der Berichterstattung über die Entstehung der Sünde, die nicht von Gott gewollt und doch für die sittliche Entwickelung des Menschen nothwendig unentbehrlich gewesen, in der Lösung dieses Widerspruches unbefriedigend hängen geblieben. Aber wir haben überhaupt keinen isolirten philosophischen Versuch über die Entstehung der Sünde zu beurtheilen; als bewußte Speculation will unsere Erzählung durchaus nicht gefaßt seyn, sondern sie giebt sich einfach als schriftliche Aufzeichnung der Sage von der Urgeschichte des Menschengeschlechts zur Einleitung in die Vorgeschichte der israelitisch = theokratischen Hauptgeschichte; Adam ist der Stammvater Abrahams. In Folge der erlangten Erkenntniß des Guten und Bösen, die nur in Gott mit vollkommener Reinheit und Seligkeit bestehen kann, wird er, aus dem Paradiese vertrieben, Begründer und Anfänger der Weltgeschichte, die uns den beständigen Kampf zwischen dem Guten und Bösen zeigt, insoferne die Söhne Adams den Unterschied von beidem zwar erkennen, aber als Weib = und Erdgeborene die Erbschaft des Hanges zum Bösen überkommen haben und so in immerwährenden Streit mit der Schlange verwickelt sind. Adam wird aber auch Anfänger der Heilsgeschichte in Israel, auf welche die ganze Vor = und Nachgeschichte nach dem ewigen Rathschlusse Gottes angelegt war. Stellen wir uns so auf den festen historisch = theokratischen Standpunct des ganzen Alten Testaments, so verbreitet sich erst das reinste Licht über die Geschichte des sogenannten Sündenfalles. Es war dann kein Fall, sondern eine Erhebung. Adam mußte sündigen, damit der sündlose Erlöser erscheinen konnte. Deshalb bleibt Sünde doch Sünde, und wird nicht zu einem bloßen Scheine: denn Gott bestraft sie; sie ist kein Durchgangspunct,

sondern eine unvermeidliche Bedingung, um die Erlösungsbedürf=
tigkeit in der Menschheit hervorzurufen und den Erziehungsplan
Gottes, der, selbst frei, freie Menschen wollte, möglich zu ma=
chen. Darum konnte er den ersten Menschen die Versuchung nicht
ersparen, der sie unterlagen, weil sie weder Gutes noch Böses
kannten, aber als Erdgeborene, mit dem Hinzuge zur materiel=
len Welt, zum reizenden Baume, mit einem sinnlich=sündigen
Triebe behaftet waren. Und so liegt denn allerdings in der Er=
zählung von dem Sündenfalle, wobei es für die Zusammenfassung
derselben exegetisch keinen Unterschied bedingt, ob sie in einen elo=
histischen und jehovistischen Doppelbericht kritisch zerlegt werde,
ein unverkennbarer Widerspruch, insofern nach ihr Gott die Sünde
dem Menschen verboten und sie doch als nothwendig erachtet.
Aber die Schuld kömmt nicht auf Rechnung des Erzählers, son=
dern der Widerspruch, menschlich betrachtet, war für Gott ein
unvermeidlicher, wenn wir nicht das ganze alte und neue Testa=
ment ausstreichen sollen. Das ist das unergründliche Geheimniß
des göttlichen Erlösungswerkes in der Geschichte des Heiles (Jes.
45, 15). Sollte nun einmal das Wort Freiheit in ihr eine Gel=
tung haben, so konnte es nicht anders erfolgen, als daß Gott,
der als der Heilige das Böse und die Sünde haßt und straft, sie
doch geschehen lassen muß, oder er hätte den Baum der Erkennt=
niß des Guten und Bösen, dessen Wirkung ihm nicht verborgen
seyn konnte, gar nicht pflanzen dürfen. Wollte man auch zu=
geben, der Mensch habe den verhängnißvollen Baum vermeiden
können, so hätte er dann eine ganz andere, für uns völlig un=
denkbare Geschichte gehabt, und die Sendung des Erlösers wäre
unnöthig und unmöglich gewesen. Der Begriff der Erziehung des
Menschengeschlechts verschwindet bei jener Annahme gänzlich, ja
der leuchtendste Punct in dem Wesen des lebendigen Gottes, die
vergebende Liebe des Vaters, ist erloschen, wenn der Urmensch
ohne Sünde geblieben, und der Schöpfer mit seinem Kunstwerke
gleich fertig gewesen.

Der Garten Edens iſt von der Erde verſchwunden, die Cherubim und die Flamme des hin= und herzuckenden Schwertes öſtlich am Eingange deſſelben, zur Bewachung des Weges zum Baume des Lebens hat kein menſchliches Auge je geſehen, und der Baum des Lebens blüht nur noch in der Poeſie (Spr. 11, 30; 13, 12 u. a. St.). Iſt dieſe ganze Geſchichte vor aller Geſchichte, vielleicht auch nur Traum uralter Poeſie?

Die Erzählung von dem Sündenfalle des erſten Menſchenpaares entzieht ſich jeder Vorſtellung gleichzeitiger oder bald nachheriger Aufzeichnung; ſie trägt das unverkennbare Gepräge mündlicher Überlieferung und reihet ſich dem hiſtoriſch=vergleichenden Forſcher einem altaſiatiſchen weitverzweigten Sagenkreiſe an, in dem ſie den Vorzug der höchſten Einfachheit in Anſpruch nimmt. Aber ſelbſt wenn wir ſie als die Urſage von der Entſtehung der Sünde betrachten wollten, ſo müßten wir bei der Unvermeidlichkeit kritiſcher Überlegung doch immer auf den Beweis verzichten, daß ſie ſich in vollkommen unverwiſchbarer Reinheit des wirklichen Thatbeſtandes in allen Einzelheiten des Berichtes von Geſchlecht zu Geſchlecht ſo fortgepflanzt, wie wir ſie jetzt als in Schrift verzeichnete Geſchichte leſen: denn die Sage, aller ſonſtigen Erfahrung gemäß, fällt in ihrer flüſſigen Beweglichkeit, auch bei der Vorausſetzung des verhältnißmäßig treueſten Gedächtniſſes und des beſten Willens, das wirklich Geſchehene feſtzuhalten und vor jeder abſichtlichen oder unabſichtlichen Umgeſtaltung zu bewahren, der Phantaſie anheim, die nach ihrer unveräußerlichen Natur, das feſtbegrenzte Reich der Wirklichkeit zu überfliegen, in ungebundener Freiheit der Geſchichte eine poetiſche Färbung giebt; mit der Phantaſie aber tritt gerne in gewiſſen Kreiſen der Sage der reflectirende Verſtand und der philoſophirende Geiſt in Bund, welcher letztere bei der ſchriftlichen Aufzeichnung des Überlieferten dieſem nicht ſelten eine Ideen ſymboliſirende Form giebt. Dieſe Wahrnehmung drängt ſich uns beſonders auf dem eigenthümlich orientaliſchen Gebiete in reichſter Fülle auf, und der wiſſenſchaft=

liche Ausleger darf sich nicht erlauben, unsere Überlieferung aus dem Kreise morgenländischer Darstellung willkürlich herauszurücken. Daher wird man uns von vornherein nicht zumuthen können, die Erzählung nothwendig in ihrer Buchstäblichkeit aufzufassen, sondern uns gestatten müssen, sie mit dem Auge des Symbolikers zu betrachten. Deshalb ist sie für uns keine Allegorie: denn sie hat eine geschichtliche Grundlage; auch kein bloßer Mythus, weder ein rein historischer, noch ein philosophischer: denn dazu trägt sie zu sehr den Charakter ursprünglicher Naivetät; sie ist nicht gedichtet, am allerwenigsten erdichtet: denn sie enthält „eine wahre Geschichte, aber nicht eine wirkliche", doch auch eine wirkliche, da der erste Mensch und die erste Sünde einen Anfang und Entstehungsgrund gehabt haben muß, nur nicht gerade in der Form, in welcher sie uns jetzt vorliegt; wenigstens kann sie uns in dieser nicht als eine solche nachgewiesen werden. Sie ist und bleibt eine geschichtliche Sage, durch den erleuchteten Geist eines israelitischen Denkers hindurchgegangen, der ihr in einzelnen Zügen ein sinnbildliches Gepräge der tiefsten Bedeutung aufgedrückt. Denn wollten wir auch die beiden Bäume als der ursprünglichen Sage angehörig uns gefallen lassen, so verräth doch der Name des Einen „Baum der Erkenntniß des Guten und Bösen" den über der flüssigen Überlieferung stehenden Beurtheiler und Deuter derselben. Ebenso können wir auch die Cherubim, welche den Stammeltern den Wiedereintritt in das Paradies verwehren sollen, nur als symbolische Figuren betrachten, deren Namen und Bedeutung der Erzähler aus dem Salomonischen Tempel passend entlehnte, nur daß er sie hier seinem Zwecke gemäß in einer andern nicht weiter beschriebenen Gestalt, mit Schwertern jedenfalls versehen, und in der vorherrschenden Bedeutung der Beschützung des Gartens des Lebens hinstellte, wie sie ja auch die Offenbarung des Schöpfers in der creatürlichen Welt, seine Herrlichkeit, darstellend, zugleich auf das Sinnreichste, über der Bundeslade ruhend, als Wächter des Gesetzes, in dem das wahre

Leben des Heiligen gegeben ist, erscheinen. So kann es denn auch uns nur auf die Deutung des ganzen Gemäldes und auf die Gewinnung der durch sie abgebildeten Wahrheit ankommen, mit der alle Propheten im Einklange stehen, wenn sie auch den Baum der Erkenntniß des Guten und Bösen, die redende Schlange und die vor dem versperrten Eingange zum Paradiese hin und her zuckende Flamme des Schwertes nicht nennen. Es ist gerade für die Erfassung des reinpraktischen Gehaltes unserer Erzählung von belehrender Wichtigkeit, daß sie auf dieselbe niemals hinweisen und nicht einmal einen bildlichen Gebrauch von Einzelheiten derselben machen; Eden und der Garten Gottes schwebt ihnen vor Augen (Jes. 51, 3; Ezech. 28, 13; 31, 8. 9; 36, 35), aber nirgends gebieten sie: „widerstehet der Schlange", sondern „der Sünde". Die Stelle Hos. 6, 7 הֵמָּה כְּאָדָם עָבְרוּ בְרִית bleibt wenigstens immer zweifelhafter Auslegung, und, angenommen, wir dürften zuversichtlich übersetzen: „sie haben wie Adam den Bund überschritten", so hat ja der Prophet nur auf die erste Sünde des Menschen, aber nicht auf den sie verursachenden Vorgang derselben im Paradiese hingewiesen; ebenso verhält sich's mit Hi. 31, 33 אִם־כִּסִּיתִי כְאָדָם פְּשָׁעַי, wo man mit der verbreitetsten Übertragung: „hätt' ich nach Menschenart verhehlet meine Vergehungen", vollkommen ausreicht, und wollten wir auch hier eine bestimmte Beziehung auf Gen. 3, 8 geltend machen, so würde daraus nur soviel mit Sicherheit gefolgert werden können, daß der Verfasser des Buches Hiob aus der Sage geschöpft, aber nicht, daß er unseren schriftlichen Bericht benutzt habe. Die Apokryphen machen allerdings von unserer Erzählung Gebrauch; Sir. 25, 23 wird der Anfang der Sünde (ἀρχὴ ἁμαρτίας) von dem Weibe abgeleitet, und im Buche der Weisheit (2, 24) kömmt durch den Neid des Teufels der Tod in die Welt. Aber der Satan steht gar nicht in unserem Texte, und kömmt erst später im A. T. zum Vorscheine. Hier lesen wir nur den נָחָשׁ; von ihm, von der Schlange, geht die Versuchung und auch die Verführung aus, aber auch sie

ist nicht das רָע selbst, das absolut Böse in der persönlichen Ver=
körperung: denn sie gehört zu den Thieren, ist mit ihnen von
Gott geschaffen, und wird nur vor diesen durch eine ihr im hö=
heren Maße verliehene List ausgezeichnet. Sie erscheint daher
wegen ihrer Schlauheit dem Symboliker in der Umgebung des
Menschen als das auserlesene Werkzeug der Versuchung und Ver=
führung, und sie bedient sich dazu mit meisterhafter Verschmitzt=
heit der schwachen Hälfte des Mannes, des reizbareren und leich=
ter verführbaren Weibes, der personificirten Sinnlichkeit. Die
Schlange spricht aus dem Doppelwesen des Menschen heraus. Die
Sinnlichkeit in ihrem fleischlichen Gegensatze gegen den Geist, wird
durch das Verbot gereizt und krankhaft erregt; sie gebiert die böse
Lust, und diese vollzieht die Sünde. Sowie sie aber vollbracht
ist, steigert sie sich, und wird durch die natürliche Verbindung des
לֵב mit der נֶפֶשׁ in dem Organismus des בָּשָׂר, des materiellen Lei=
bes, in den bösen Gedanken erkannt, die aus dem Munde der
Stammeltern hervorgehen; sie offenbart sich als Lüge und bewußte
Widersetzlichkeit gegen den guten Geist der Wahrheit.

Demnach ist es nicht sowohl das Böse oder der Böse, wodurch
unsere Betrachtung in der Ur= und nothwendigen Vorgeschichte
zur mosaischen Theokratie vorherrschend in Anspruch genommen
wird, auch nicht die Frucht an dem verbotenen Baume, sondern
die Frucht dieser Frucht, die Sünde, und deren Frucht, der Tod.
Wie aber der Tod mit der Sünde in einem nothwendigen, auch
physisch=ursächlichen Zusammenhange stehe, darüber erwarten wir,
wie sich von selbst versteht, in unserer Urkunde keine Erklärung.
Ebenso wenig vermögen wir aus ihr herauszulesen, wie sie sich
die Veränderung der Erde in Folge der Sünde gedacht, und müs=
sen beides nach unserem exegetisch=historischen Zwecke der von der
Schrift ausgehenden Speculation überlassen. Die Urkunde hat
übrigens mit „der Verfluchung der Erde" ein individuell=starkes
Wort, das auch sonst nirgends im A. T. wiederholt wird, gewählt,
und dem der 104. Psalm, welcher die Schönheit der Wirkungs=

ſtätte des zur Arbeit beſtimmten Menſchen beſingt, das Gegen=
gewicht hält. Der einzige fruchtbare Hauptgedanke kann für mich
wenigſtens nur der ſeyn, daß dem Menſchen, nachdem ihm durch
die Sünde der innere Friede einmal geſtört war, die Arbeit au=
ßerhalb des Paradieſes zur Mühe und Beſchwerde ward. Das
Wort: „der Boden ſoll die Dornen und Diſteln ſproſſen laſſen"
behält ſeine volle Wahrheit, obſchon aus ihm keinesweges gefol=
gert werden darf, daß jene Gewächſe außerhalb des Gartens
Gottes gefehlt haben werden.

Der Name der Sünde ſteht zwar nicht in unſrem Terte,
aber ihr finſteres Weſen und Wirken, wie es zum erſten Male
ſich enthüllt, iſt deutlich genug zu leſen. Aber ihr gegenüber,
wie zur Verſöhnung, wird der Menſch auch ſogleich ſchon auf das
Heil hingewieſen, wenigſtens auf die Möglichkeit, in dem Kampfe
mit der liſtigen Schlange Sieger zu bleiben, indem die tröſtliche
Verheißung gegeben wird, daß ſie ihm zwar nach der Ferſe, er
ihr aber nach dem Kopfe trachten ſolle, wodurch ihm immer ein
Vortheil in dem gebotenen, von nun an unvermeidlichen Streite des
Lebens eingeräumt wird. In dieſem Sinne liegt allerdings das
ſogenannte Protevangelium in der Stelle 3, 15, nur nicht in dem,
daß in dem זֶרַע הָאִשָּׁה der Meſſias in ſeinem Kampfe mit dem
Satan und in der Überwindung deſſelben direct geweiſſagt ſey:
denn ſchon die Überſetzung: „derſelbe ſoll dir den Kopf zertreten,
und du wirſt ihn in die Ferſe ſtechen", iſt falſch, da שׁוּף zweimal
in derſelben Bedeutung vorkömmt, und weder „ſtechen", noch
weniger „zertreten" heißt, ſondern, gleich שָׁאַף, in den beiden
Stellen, wo wir das verb. nur noch finden (Pſ. 139, 11 und Hi.
9, 17) von dem feindlichen Anſchnauben (vgl. שָׁאַף Jeſ. 42, 14),
alſo von dem heftigen Ankämpfen gegen jemand, verſtanden wer=
den muß. Indeſſen iſt immer in dem Kampfe ein Unterſchied zwi=
ſchen dem עָקֵב des Menſchen und dem רֹאשׁ der Schlange, indem
dieſe nur von hinten, daher freilich ſehr gefährlich und zur beſtän=
digen Wachſamkeit auffordernd, ihren Angriff auf die Ferſe jenes

richten darf, er aber, den Gott mit Herrlichkeit und Pracht ge=
krönet, den er zum Herrscher gemacht über alle Werke seiner Hand,
ihm Alles unter seine Füße gesetzt, auch die Thiere des Feldes
(Pf. 8, 6 u. fl.), den Vortheil haben soll, die Schlange von
vorne zu bekämpfen und ihr den Kopf zerschmettern zu können,
obschon der Text dieses bestimmte Wort nicht dafür darbietet, son=
dern in absichtlicher Wiederholung des vorhergebrauchten den Wi=
derstreit des Menschen gegen das Böse vorläufig als unentschieden
hinstellt, aber doch immer mit dem feinen Winke der Andeutung
einer unverkennbaren Bevorzugung des Menschen. Demnach kön=
nen wir immerhin, obgleich wir die direct=messianische Erklärung
der berühmten Stelle verwerfen müssen, ihr einen typisch=mes=
sianischen Gehalt zusprechen, nur in einem sehr verdeckten Sinne,
der erst in der weiteren Enthüllung der alttestamentlichen Heils=
geschichte sich allmählich deutlicher herausstellt, bis er im N. T.
seine Erfüllung findet.

Erst wo die Sünde außerhalb des Paradieses, in ihrer na=
türlichen Fortpflanzung als Sündhaftigkeit vom Vater auf den
Sohn, das Erstlingsopfer des Todes in dem furchtbaren Bruder=
morde gefordert, und sie in abschreckender Gestalt wie ein Unge=
heuer vor der Thüre des von ihr bethörten Gefangenen lagert
(Gen. 4, 7), wird sie, mit ihrem Hauptnamen חַטָּאת genannt,
der von nun an auf allen Blättern der alttestamentlichen Weltge=
schichte geschrieben steht, und „mit eisernem Griffel, mit diamant=
ner Spitze in die Tafel der Herzen und an die Hörner der Altäre"
(Jer. 17, 1) selbst des erwählten Volkes eingegraben ist. Nachdem
die Sünde einmal in das Herz (לב) des Menschen eingedrungen, von
seinem Willen Besitz genommen und durch ihn zur That geworden,
wuchert sie wie ein giftiges Unkraut auf dem Boden des mensch=
lichen Herzens fort; immer höher steigend und wachsend wird sie
wahrhaft zur Sündfluth allgemeiner Verheerung, die aber auch
zugleich als eine Sühnfluth sich offenbaret. Wir würden kaum
den Anblick dieses todten Meeres der Öde und Verödung ertra=

gen, wenn wir nicht auch den Geist Gottes, der sich reget über den Wassern, und die liebliche Taube mit dem grünen Ölblatt des himmlischen Friedens gewahrten. Die reine Lichtgestalt Noahs erquickt unser Auge mitten unter den finsteren Ausgeburten des Verderbens. Aber wie wir schon hier das Trostbild der schützenden Arche erblicken, die, wie in einem unvergleichlichen Zuge der sinnbildlich-bedeutsamen Erzählung gesagt wird, Gott selbst mit eigener Hand verschloß (7, 12), so begegnen wir diesem Symbol der göttlichen Gnade immer von neuem; wir lesen im Alten Testamente eine fortgesetzte Sünden- aber auch Heilsgeschichte. Es wird unserem Zwecke gemäß seyn, dieselbe hier nach ihren Hauptepochen wenigstens eine Strecke weit zu überblicken.

Nachdem die Wasser sich verlaufen, und Noah für die wunderbare Rettung seiner und seines Geschlechtes Jehova ein Dankopfer dargebracht, wird er als neuer Adam von Gott gesegnet, und der Herr Himmels und der Erde schließt einen Bund mit ihm, seinen Söhnen, deren Nachkommen und Allem, was lebendig geblieben, mit der Verheißung, fortan nie mehr eine verderbende Fluth über die Erde zu senden. Zur Bestätigung des Wortes des Heiles läßt er als Zeichen der Gnade den lieblich-glänzenden Bogen, der Himmel und Erde verbindet, in der Höhe erscheinen, das freudig-glänzende Symbol der Erinnerung an den ewigen Bund (9, 8—17). Hier begegnen wir zum ersten Male diesem inhaltsvollen Worte בְּרִית, in dem alles Heil durch die Gemeinschaft des Menschen mit Gott gegeben, gewiesen und beschlossen ist; die Heilsgeschichte wird Bundesgeschichte. Nachdem der Bundesgott sich in der Zerstörung des Babylonischen Thurmbaues, des ewigen Denkmals menschlichen Stolzes in der Geschichte, in der Verwirrung der Sprachen und der Zerstreuung der Völker, als den strafenden Richter von neuem bezeugt, erkennen wir ihn wieder in der nothwendig verbundenen Doppelseite der Gerechtigkeit und Gnade im Verhältniß zu den drei Söhnen Noahs, in der Verfluchung Hams, des Vaters Kanaans, und in der Segnung Sems, sowie des ihm verbundenen Japhet. Nun wird die Bundesgeschichte zur Semitischen Geschichte. Abraham, ein Abkömmling Sems, des ersten Vorbildes der Sohnesehrfurcht vor dem heiligen Vaternamen, wird in seinem hingebenden Gehorsam der Liebe Gottes (Jes. 41, 8), als Berufener und Erwählter aus dem fernen Lande des Götzendienstes, typisch Sohn Gottes und Vater der Gläubigen, als erster Offenbarer und Ur- und Vorbild des Glaubens. Mit ihm gewinnt die Geschichte des Heiles auch ihren bestimmten Boden, dessen sie auf Erden bedarf, ihre heilige Geographie, in dem ihm und seinem Geschlechte angewiesenen fruchtbarsten Lande, einem vergleichungsweise neuen Paradiese, in Kanaan. Hier offenbaret sich ihm Gott von neuem als den einen, einzigen und wahren, und schließt mit ihm einen ewigen Bund der Verheißung zum Segen aller Völker. In seinen Söhnen Isak und Jakob wiederholen sich zur Stärkung des Glaubens die Bundesschließungen und Versicherungen des treuen Gottes, der sich in der Bevorzugung Jakobs vor Esau abermals als den Herrn der freien Gnade, der Liebe und der vorauserkennenden Weisheit in der Bestimmung und Leitung der menschlichen Persönlichkeiten bekundet, sowie er sich in dem Gerichte über Sodom und Gomorrha als den zu fürchtenden Gott der strafenden Gerechtigkeit und Allmacht geoffenbaret. Die semitisch-patriarchalische Heilsgeschichte wird recht eigentlich zur Segensgeschichte; die רְמִיָה tritt in ihr zuerst vorzüglich bedeutend als בְּרָכָה hervor, als das gesprochene und sich wunderbar wirksam erweisende Wort des Heil verheißenden Wunsches aus dem Munde Gottes in Ohr und Herz des in demuthsvoller Kniebeugung und vertrauensvoller Hingebung den Segen empfangenden Gläubigen. Der Segen gehöret Gott als Vater, und die frommen Väter segnen im Namen des Gottes der Wahrheit und Treue ihre Kinder. In der Geschichte Jakobs, des Sohnes des nach der Bedeutung seines Namens heiter dahinwandelnden und heiter sterbenden Isak, des Sohnes der erfüllten Verheißung des gläubigen Abraham und der

3 *

froh und still vertrauenden Mutter Sara, tritt an dem hochwich=
tigen Wendepunct seines Lebens, wo er mit Gott ringt und er
ihn nicht läßt, bis er von ihm gesegnet und mit dem neuen Na=
men „Israel" belohnet wird, der Segen Jehovas in seiner heil=
bringenden Kraft besonders bedeutend hervor (Gen. 32, 26—33).
An diesen Namen יִשְׂרָאֵל, der dem ganzen Volke der Jakobiten
vorzugsweise beigelegt und zur Unterscheidung des edelsten Kernes
desselben noch besonders gebraucht wird, knüpfen sich alle Verhei=
ßungen. Die Erziehung Israels durch die göttliche Heilsthat zeigt
sich in entscheidender Weise an dem Lieblingssohne Joseph, den
seine Brüder nach Ägypten verkauften, damit schon hier das ge=
heimnißvolle Gesetz der allweisen Weltregierung, dessen Spuren
wir auf allen Blättern der Geschichte verfolgen können, daß der
Herr was die Menschen Übles wollen in Gutes zu verwandeln
weiß, zur Kunde komme. Joseph wird das Werkzeug der Ver=
mittelung seines Geschlechts mit dem merkwürdigen Lande der
Prüfung und Läuterung in dem eisernen Ofen des Elends (Deut.
4, 20; Jes. 48, 9), wie Ägypten genannt wird. Er, mit dem
רוּחַ אֱלֹהִים (Gen. 41, 38) begabt, bringt in dem mächtigen Reiche
der Götzen den vergessenen Gott und das verachtete Israel in sei=
ner Person zu höchsten Ehren, und als der vielgeprüfte aber reich=
begnadigte Vater Jakob beim Scheiden aus dem Lande der Pil=
grimschaft beim letzten Segen seiner Söhne Joseph mit seinem
bedeutungsvollen Namen weissagend „Fruchtbaum am Quell" ge=
nannt, darf er die müden Augen mit dem Ausrufe des Trostes
schließen: „Herr, ich hoffe auf dein Heil" (49, 18. 22)! Treten
wir aus der Vor= und Geschlechtsgeschichte der Abrahamiden in die
eigentliche Volksgeschichte Israels — denn in Ägypten hat es Jehova
als seinen Sohn erzeugt und zu seinem Volke gebildet —, so offen=
baret sie sich nun als göttliche Gesetzes= und Reichsgeschichte. Dem
Stocke des pharaonischen Frohnvogts gegenüber erblicken wir den
Stab Mose's, der aus dem Felsen Wasser schlägt, und der aus
den Wassern gezogene Retter des Volkes aus der Trübsal der

Knechtschaft offenbaret den für sein Volk eifernden Gott der Ge=
rechtigkeit (den אֵל קַנָּא), das freffende Feuer (אֵשׁ אֹכְלָה), den
Felsen Israels (צוּר häufigst vom Bundesgott der Treue) in dem
Grundfelsen der Theokratie, in der תּוֹרָה. Er errichtet in der
Wüste, „dem Lande der Wildniß und des Abgrunds, dem Lande
der Dürre und der Todesnacht, dem Lande, wo Keiner wandert,
und wo kein Mensch wohnet‟ (Jer. 2, 6), mitten im Angesichte
des Todes die eherne Schlange des Lebens zum Heile und Trost=
bilde Israels (Num. 21, 4—9), und führet es trotz seiner Wi=
derspenstigkeit unter wunderbaren Heilsthaten Gottes dem Lande
des Heiles zu, das er selbst nur von der Höhe des Berges sehen,
aber nicht betreten sollte. Sein Nachfolger Josua, der den Heils=
namen in der That führt, geleitet die Lade des Bundes, in wel=
cher der kostbare Stein des Heiles verborgen lag, durch die Flu=
then des Jordan, wie Moses das Volk durch das Schilfmeer, und
verpflichtet als Knecht seines Herrn und Vorgängers, ehe er ab=
tritt vom Schauplatz, noch einmal feierlichst die zwölf Stämme,
denen er das Erbe Jehovas vertheilt, zur treuen und segens=
reichen Befolgung des heiligen Gesetzes des heiligen Gottes, der
sich im Kampfe mit den Kanaanitischen Völkern als den Herrn der
himmlischen Heerschaaren, auf dessen Gebot selbst die Sonne am
Tage der Schlacht stille stehen muß, glänzend erweiset. Und
als das Volk im gelobeten Lande, mitten unter den noch nicht
ganz besiegten Kanaanitern wohnend, mit ihnen vermischt im ab=
scheulichen Dienste fremder Götter, von den verhöhnenden Feinden
hart bedrängt wird, sendet ihm der treue Gott der Hülfe, wenn
es in seiner Versunkenheit in Elend und Jammer aufschreit zu
ihm, der in der Wolken = und Feuersäule schützend vor dem Zuge
der Heimkehrenden vorangeschritten, durch seinen Richtergabe und
Heldenkraft erweckenden Geist immer von neuem einen Heiland:
וַיָּקֶם יְהֹוָה מוֹשִׁיעַ לִבְנֵי יִשְׂרָאֵל וַיּוֹשִׁיעֵם (Richt. 3, 9 u. f. w.);
wir sehen in dieser wildbewegten Zeit gräulicher Entartung, be=
schämendster Demüthigung und doch unbesiegbaren Heldenmuthes,

in der es Jehova darauf abgesehen, Israel durch die Völker, welche Josua zurückgelassen, „zu versuchen, ob sie bewahren würden den Weg Jehovas, auf ihm zu wandeln wie ihre Väter ihn bewahrt, oder nicht" (2, 22), immer die starke Hand des אֵל גִּבּוֹר in dem gewaltigen Schwerte Gideons. Samuel, nach Moses die hochbedeutendste Persönlichkeit in der Entwickelung der Heilsgeschichte, letzter Richter und erster Prophet, begründet das Prophetenthum und Königthum. Die theokratische Gesetzesgeschichte wird Königsgeschichte und prophetisch - messianische Geschichte. Der Gesalbte des Herrn, David, wird Typus des in der Zukunft erscheinenden vollkommenen Königs der Wahrheit und Gerechtigkeit, des Messias, den die von Gott erweckten Propheten als König, Priester und Prophet unter verschiedenen Namen als den Heiland des Volkes weissagen, der, aus dem Stamme Davids, als Mittler eines neuen Bundes der Erfüllung aller Verheißungen in seiner göttlich - menschlichen Lebenserscheinung, durch seine Persönlichkeit, That und Lehre Erlöser von der Sünde wird.

Nirgends aber offenbaret sich in eindringlicherer Weise die Übertragung der Heilsgeschichte über der Sündengeschichte, als in dem Leben Davids, der, obschon Stammvater und Vorbild des Messias, in den tiefsten Abgrund der Sünde gefallen, aber doch in dem reuigsten und schmerzlichsten Ringen nach Wiederversöhnung mit seinem Gott, an der Hand der Gnade aus der schmutzigen Schlammgrube des Verderbens emporgestiegen, und in seinen reinen Bußpsalmen als ein Gereinigter uns entgegenleuchtet. Gerade die Geschichte (2 Sam. 11 u. 12) dieses Frömmsten der Könige und eines der Gottesfürchtigsten und Gottseligsten aller Menschen und Zeiten ist für das Verständniß der Sünde im Alten Bunde von der höchsten Bedeutung, weshalb wir sie auch auswählen, um an ihr Entstehen und Wesen derselben lebendig zu zeigen. Derselbe, der seinen Gott mit Inbrunst seinen Fels und seinen Hort, seine feste Burg und seinen Schild genannt, „mit dem er Mauern überspringt" (Pf. 18, 30), erblickt auf dem Dache seines Palastes wandelnd ein schönes Weib im Bade, und wird auch ohne die verführerisch redende Schlange des Paradieses, durch die entstandne Lust, „die süß der Seele" (Spr. 13, 19), zur schmählichsten Beute der Sünde, die ihn nicht einmal nach vollbrachtem Verbrechen des Ehebruchs mit Abscheu erfüllt, sondern aufschwellend in üppiger Kraft, gehegt und gepflegt durch die schürende Gluth der argen Gedanken des Herzens ihn bis zu dem gräßlichen Frevel des Uriasbriefs treibt, in dem sich die Sünde nur allzu deutlich als That des Willens offenbart. Und wie sich Adam nach dem Falle vor Gott, als er dessen erschütternden Ruf „wo bist du"? vernahm, hinter den Bäumen des Gartens zu verstecken suchte, und als er dem Angesichte des zürnenden Richters sich nicht entziehen konnte, statt reuiger Selbstanklage eine leere Selbstentschuldigung vorbrachte, so verbarg sich David gar lange hinter dem künstlich gewebten Schleier der Selbstbetrügung, und schmachtete in dem brennenden Feuer seines Gewissens, „wie in der Dürre des Sommers", ehe er das schwere Wort: „Herr! ich habe gesündiget" über seine Lippen brachte. Der denkwürdige 32. Psalm liegt als ein offenes Blatt des geheimsten Tagebuchs des aufrichtigsten Herzens vor unsren Augen, und wir lesen darauf die unsäglichen Qualen des Geistes, so lange der Trug (רְמִיָּה B. 2.) der Selbstentschuldigung ihn bestrickte, aber auch das Jauchzen der Seele, als der himmlische Durchbruch der Wahrheit die dunkelste Nacht vertrieben, und nun der Gottesheld nach endlicher Überwindung des tückischen Feindes im eigenen Herzen, der schwerer als Goliath zu erschlagen gewesen, in dem frischen Morgenlichte eines neuen Lebens freiaufathmend seinem gnädigen Gotte, der die drückende Last der Schuld von ihm genommen, ein Lied zum feurigen Danke, und den Frommen aller Zeit (B. 6) zur ewigen Belehrung singt. So hatte David schon die bittere und tiefe Erkenntniß gewonnen, daß die Leuchte des Gesetzes, dessen reines Licht er schaute und liebte, zwar den Weg Gottes, den er seinem Volke in seinen Geboten vorgezeichnet, vollständig erhelle, aber den schwarzen Punct der Sünde im Innersten des Menschen nicht auszulöschen vermöge, sondern im Gegentheil auch dazu geordnet sey, das Gefühl der Sünde und der Erlösungsbedürftigkeit zu wecken. Fast scheint es, als habe er desselben wie eines Zaumes und Zügels (B. 9) in dem Aufschwunge seiner wiedergewonnenen Freiheit gespottet. Ja, gerade weil das Gesetz nicht bloß die That der Sünde verbot, und eben zu David dem „du sollst nicht ehebrechen" sogar ein „du sollst dich nicht gelüsten lassen nach deines Nächsten Weib" hinzugefügt, mußte er desto tiefer die Unzulänglichkeit seiner Natur, Gottes Gebot, und zwar das höchste, in dem alle zusammengefaßt, „du sollst lieben Jehova, deinen Gott, mit ganzem Herzen, mit ganzer Seele, und mit ganzem Vermögen" (Deut. 6, 5), und „du sollst lieben deinen Nächsten wie dich selbst" (Lev. 19, 18), zu erfüllen, in dem Spiegel des Gesetzes erkannt und desto schmerzlicher innerlichst erfahren haben. Er war durch diese Selbsterfahrung bis zur Wurzel des Sündengewächses, dessen lockende Frucht sein Leben vergiftet hatte, hinabgelangt, und hatte den von Natur ihm eingepflanzten sündlichen Hang, der sich von Vater und Mutter auf ihn vererbt, in seinem die ganze Menschheit durchdringenden Krankheitsstoffe kennen gelernt. Es ist allerdings in diesem Sinne die Erbsünde, die er Ps. 51, 7 in dem Bekenntniß bezeugt: „sieh'! in Schuld bin ich geboren und in Sünde empfing mich meine Mutter", womit doch offenbar nicht seine eigene Zeugung oder diese überhaupt als ein sündlicher Act kann gemeint seyn. Darum hat er auch vorher das hochbedeutende Wort vor dem Angesichte seines Gottes ausgesprochen: „Dir allein hab' ich gesündiget": denn er weiß, daß kein Mensch ohne Sünde, und daß der Heilige nur allein sein Richter ist. Er hatte die Wahrheit des hohen Ausspruchs in sich erlebt: „wenn Mensch gegen Mensch sündiget, so richtet ihn Gott (durch sein Gesetz), wenn aber gegen Jehova der Mensch sündiget, wer will als Schiedsrichter sich für ihn aufwerfen"? (1 Sam. 2, 25). Den ganzen Begriff der Sünde hat damit David in der schärfsten Erfassung bestimmt, daß er nicht mehr sagen konnte: „Dir allein, als dem Heiligen, habe ich mein Leben zur Heiligung geweiht", sondern „Dir allein hab' ich gesündiget", womit die Sünde des Menschen als die selbstbewußte Ablösung desselben von Gott und die selbstsüchtige Hinwendung zu dem Ihm Entgegengesetzten, dem Bösen, erklärt wird. Eben- so sicher hat er den Quellpunct der Sünde getroffen, indem er ihn weder in's Fleisch (בָּשָׂר), noch in die Seele (נֶפֶשׁ) allein, sondern in's Herz (לב) setzt, welches nach dem alttestamentlichen Grundbewußtseyn nicht etwa nur die Geburts = und Bildungs= stätte der Empfindungen und Gefühle, sondern auch der Gedan- ken ist. In dem sehnsüchtigsten Verlangen nach Versöhnung mit Gott fleht er nicht bloß, daß er ihn von dem äußeren Schmutze der begangenen Sünde rein waschen möge, sondern er ruft aus: „schaff mir, o Gott, ein reines Herz, und einen festen Geist mach neu in mir"! Er ist durch eigenste und traurigste Beleh- rung zu der Selbsterkenntniß des menschlichen Herzens gelangt, daß in dessen natürlichen Unreinheit der Grund der Sünde liege, und darum es dem Geiste in der Erfüllung des Gesetzes an der Festigkeit des das Gute ergreifenden Willens gebreche; dieser sey kein freier mehr (רוּחַ נְדִיבָה), und indem er in diesem Bewußt- seyn der inneren Gebrechlichkeit nach der Stütze des heiligen Gei- stes verlangt, bezeugt er in dem Gefühle der Erlösungsbedürftig- keit und seiner Mark und Bein durchdringenden Unseligkeit die tiefste Sehnsucht der menschlichen Creatur nach einer gänzlichen Neuschaffung ihres Wesens in der erschütterndsten Sprache der Wahrheit und Demuth (12—14). Wollte man uns nun auch die davidische Echtheit dieses größten der Bußpsalmen von neuem streitig machen, so bliebe im Wesentlichen die daraus geschöpfte Belehrung dieselbe, ja, wir gewännen sogar im Hauptbetracht dadurch, wenn der überzeugende Beweis geführt werden könnte, daß nicht David oder irgend eine andere Einzelpersönlichkeit dieses

Sündenbekenntniß ablege, sondern Einer im Namen des ganzen Israelitischen Volkes rede: denn wir hätten dann den Abdruck des alttestamentlichen Gesammtbewußtseyns von der Sünde, als einer von Geschlecht zu Geschlecht sich fortpflanzenden Krankheit des menschlichen Herzens und Willens, im Voraus bezeugt und bedürften zur Entwickelung des Sündenbegriffes im Alten Bunde kaum noch der Anführung anderer Stellen. Mir aber wenigstens steht nach dem Eindrucke, den dieses Lied immer wieder auf mich macht, die kritische Überzeugung jetzt noch fest, daß es am leichtesten zu verstehen, wenn wir es als aus der eigenthümlichsten Selbsterfahrung des Königs der Sünde und Gnade geflossen betrachten, dergestalt, daß wir auch ohne die bestimmte Überlieferung von seiner davidischen Abkunft, in Ausübung einer sogenannten positiven Kritik, keinen Anstand nehmen würden, es als ein namenloses demselben Verfasser zuzuschreiben, der den 52. Psalm gedichtet. Überdieß ist die Wahrheit, an der uns hier vor allem gelegen, daß die Sünde nicht allein in der Schwäche des Fleisches, in der bloßen Sinnlichkeit, sondern in der Hinterhaltigkeit und Gebundenheit des Willens zu suchen sey, deutlich genug in der leider nicht zu bezweifelnden Geschichte Davids zu lesen, der nicht allein eine sogenannte Schwachheitssünde der Leidenschaft begangen, sondern bei der Schreibung des unvertilgbaren Uriasbriefes den Griffel in das Gift seines tückischen Herzens getaucht, und sogar in der Unbußfertigkeit eines widersetzlichen Sinnes so lange verharrt, bis er erst in dem Tode des Kindes der Sünde die Strafhand der göttlichen Gerechtigkeit erkannt.

Nicht minder belehrend für die Erfassung der Sünde in ihrer concreten Erscheinung ist wie das Leben Davids auch das des Königs Salomo, „der von Gott geliebt, und doch von fremden Weibern zur Sünde verführt ward" (Neh. 13, 26). So wenig jenen die innigste, gottergebenste Frömmigkeit, wie sie so rein und lieblich aus den Tönen seiner Harfe erklingt, vor dem schmählichsten Falle aus der Höhe des stillen Friedens seiner Seele bewah=

ren konnte, ebenso wenig vermochte den berühmtesten Herrscher im Reiche der Weisheit, diese, welche die Braut seiner Jugend und die einzig Erkohrene seines Lebens gewesen, vor der demüthigendsten Thorheit des Alters zu schützen; die glänzenden Edelsteine der auserlesensten Sprüche, die er der goldnen Krone seiner Königswürde als den schönsten Schmuck selbst eingefügt, erbleichten noch zuletzt auf seinem grauen Haupte durch den Gifthauch der Buhlerei mit fremden Frauen und fremden Göttern. Derselbe, der zu der erhebenden Erkenntniß gedrungen, daß die Weisheit göttlichen Geschlechts (Spr. 8), der auf ihrem Wege den Jünglingen den paradiesischen Baum des Lebens, und auf dem der Thorheit die schauerlichen Pforten des Todes gezeigt, der dem Heiligen von Israel ein prachtvolles Heiligthum zur Heiligung gebaut, errichtet zuletzt noch daneben, ausländischen Buhlerinnen zu Gefallen, Götzenhöhen der Abscheulichkeit, und der Prediger der Eitelkeit unter der Sonne vereitelt sich selbst, der Eitelkeit nachgehend, in Eitelkeit (2 Kön. 17, 16; Jer. 2, 5), so daß er jene Wahrheit, die man ihn aussprechen läßt, „das Krumme kann nicht gerade seyn, und das, was fehlt, läßt sich nicht zählen" (Pred. 1, 16), oder „Gott schuf den Menschen gerade, sie aber suchen viele Kunstgedanken" (7, 29) an sich selbst erfährt und durch sich selbst bezeugt. Gerade das Buch, in welchem Salomo als Prediger der Eitelkeit aller menschlichen Bestrebungen aufgeführt wird, zeigt auch am deutlichsten die Unzulänglichkeit der הָכְמָה, um stets und strenge vor der כְּסִילוּת zu behüten; die künstlichste und sinnreichste Bildung und Gestaltung des sittlichen Lebens durch die Leitung theoretisch abgezogener Sprüche der Weisheit wird durch die Übermacht der Leidenschaft praktisch zu Schanden, und es wird häufig genug von den Weisen gelehrt, wie schwer es hält, der Zunge und des Zornes auch nur äußerlich Meister zu werden. Die הָכְמָה als Gehülfin der תּוֹרָה hat so wenig wie diese die Kraft, das Giftkorn der Sünde aus dem Herzen des Menschen herauszulösen. Die bloße Tugendlehre genügt dem Alten Testamente nicht. Deshalb werden aber die Propheten nicht müde, als Wächter und Hüter des Gesetzes, „gegen die Zungen und Thaten, die wider Jehova sind" (Jes. 3, 8) mit der göttlichen Gewalt ihrer Rede zu eifern, und in den mannigfaltigsten Weisen den Ruf des Herrn zu wiederholen: „entfernet das Böse eurer Werke vor meinen Augen, hört auf zu freveln, lernt Gutes thun" (Jes. 1, 16. 17), und ein Jeremia ist von Gott gesetzt „zu einer festen Stadt, einer eisernen Säule und einer ehernen Mauer gegen das ganze Land, wider die Könige Judas, wider seine Fürsten, wider seine Priester und wider das Volk des Landes" (1, 18). Aber derselbe Prophet weiß doch, wie David, daß die Sünde tiefer zu suchen sey, als in der äußeren Übertretung des Gesetzes; in der inneren Verkehrtheit des Herzens liegt sie ihm verborgen. „Hinterhaltig", sagt er, „ist das Herz, mehr als Alles, und krank ist es: wer denn erkennet es"? (17, 9). „Nur Gott", fügt er hinzu, „erforschet das Herz und prüfet die Nieren". Unübertrefflich hat er die Beschaffenheit des לֵב durch das עָקֹב bezeichnet, in dem etymologisch die Hinterlist und Tücke liegt, und ebenso wahr nennt er es אָנֻשׁ d. i. krank; die Sünde erscheint ihm als eine fortfcherbende Krankheit des menschlichen Geschlechts, und אֱנוֹשׁ ist ein sehr tiefer Name des Menschen. An einer anderen Stelle (9, 3), wo es ihm darauf ankömmt, das Volk in seinem Grundverderben zu schildern, macht er von dem עָקֹב einen solchen Gebrauch, daß er das Wort nach seiner schlimmen Bedeutung mit dem Namen des Stammvaters in die auch für das Ohr eindringlichste Verbindung setzt, indem er sagt, daß kein Freund sich auf den andern verlassen könne: „denn jeder Bruder sey ein עָקוֹב יַעֲקֹב". Er drückt damit der Geschichte Jakobs, wie sie unpartheiisch seinen Character gezeichnet und besonders in seinem Verhältniß zu Laban hervorgekehrt, wo in einem fast witzig berechneten Gleichklang der Wörter das Urtheil über seine List ausgesprochen wird, indem es heißt וַיִּגְנֹב יַעֲקֹב אֶת־לֵב לָבָן „es stahl Jakob das Herz Labans" (Gen. 31, 20), das prophetische Siegel

der Wahrheit auf. Ebenso spielt auch Hosea auf die schon vor=
bildliche Bedeutung des Namens an, mit Erinnerung an die Sage,
die wir in der Genesis erzählt finden, daß er Jakob genannt
worden, weil er beim Herausgehen aus Mutterleibe seinen Bru=
der an der Ferse gehalten: „im Mutterleibe berückte er (עָקַב,
kam er von hinten) seinen Bruder" (12, 4), und indem er, auf
die merkwürdigste Geschichte (Gen. 32, 24—31) seines Lebens
hinsehend, hinzusetzt: „in seiner männlichen Kraft (בְאוֹנוֹ) stritt
er mit Gott", hat er mit einem Zuge die ganze Sündhaftigkeit des
Volkes, das von ihm den Namen führt, uns vor Augen gestellt
— die Hinterhaltigkeit und den sich auflehnenden Trotz gegen den
mit ihm zu seinem Heile ringenden Gott des Bundes. Es wäre
möglich, daß auch der Prophet Jes. 43, 27 Jakob bei den Wor=
ten im Sinne gehabt: „dein erster Vater sündigte", da das an=
geredete Volk doch vorzugsweise nach ihm benannt worden und der
Stammvater Abraham, obschon auch nicht fleckenlos dastehend,
schwerlich in diesem starken Sinne hier als Sünder aufgeführt
seyn würde, aber wahrscheinlicher ist es, wenn wir das הָרִאשׁוֹן
noch mehr betonen und bis auf Adam zurückgehen, der ja wirklich
als der Urvater des Abrahamitischen Geschlechts gezählt wird.
Nehmen wir dazu nun noch die Worte des zweiten Versgliedes
וּמְלִיצֶיךָ פָּשְׁעוּ בִי „und deine Dollmetsche fielen von mir ab", wo
er unter den מְלִיצִים (vgl. Gen. 42, 23) sicher die Mittler zwi=
schen Gott und dem Volke, Priester und Propheten, auch wohl
Könige versteht, so hat der Prophet das Grundbewußtseyn des
Volkes von dem Ursprunge und der allbeherrschenden Macht der
Sünde ausgesprochen. Überall begegnen wir Aussprüchen über
die an der menschlichen Natur haftenden Unreinheit. Merkwür=
dig ist in dieser Beziehung besonders das Buch Hiob, in welchem
der größte Held alttestamentlicher Schuldlosigkeit und Sittlichkeit,
der ein תָּם וְיָשָׁר וִירֵא אֱלֹהִים וְסָר מֵרָע, und von Gott selbst als
sein frömmster Knecht auf der ganzen Erde so genannt, seinen
ihn verkennenden Freunden gegenüber entschieden sagen konnte:

„ich habe nicht verleugnet des Heiligen Worte" (6, 10), und zuletzt in einer so überwältigenden Erhabenheit, die reinste Un-
schuldsurkunde, die je geschrieben worden (Cap. 31), hoch und
frei emportragend, als Sieger vor seinen menschlichen Richtern
dasteht, daß wir gedrungen sind auszurufen: „wer kann ihn einer Sünde zeihen"? — Dennoch ist er weit entfernt, sich innere
Reinheit anzumaßen, und wie im Namen der ganzen vorchristli-
chen Menschheit redend, bringt ihm der sehnsuchtsvoll-schmerzliche
Ausruf über die Lippen: „o daß doch ein Reiner von einem Unreinen käme! — Nicht Einer" (14, 4)! Und zuletzt, wo endlich
Jehova sich auf den Kampfplatz als Richter zwischen ihm und seinen Freunden herabläßt, muß doch der Knecht Gottes, obschon
er wahrer geredet, als seine Freunde, und für sie, als die Schuldigen, Fürbitte einlegen soll (42, 8), wegen seiner übereilten
Reden gegen den wunderbaren Rath des Allweisen, den er ohne
Einsicht verdunkelt, statt aufgehellt (מַעְלִים עֵצָה בְלִי-דָעַת 42, 3),
in Staub und Asche Buße thun (6), nachdem er vorher schon in
Demuth vor dem Allmächtigen sich gebeugt, und das reuige Bekenntniß abgelegt: „zum zweiten Mal will ich nicht wieder reden"
(40, 4. 5). Das ist das Endurtheil der höchsten Weisheit, die in
der freiesten Selbsterhebung sich aus dem alten Bunde hat vernehmen lassen, daß wegen der an der menschlichen Natur haftenden Sündhaftigkeit auch der vergleichungsweise Edelste auf Erden
vor dem Heiligen im Himmel, „in dessen Augen der Himmel und
selbst die Sterne nicht rein, der seinen Heiligen nicht traut, und
seinen Engeln Mangel beilegt (15, 14. 15; 25, 4. 5. 6; 4, 17. 18),
nicht gerecht sey" (4, 2). Dem Begriffe der absoluten Heiligkeit
Gottes gegenüber kann es kein geschaffenes Wesen geben, das
ganz rein sey, und es ist in dieser Hinsicht wohl bemerkenswerth,
daß, wenn das Hauptwort vom Sündigen חָטָא gebraucht wird,
dem doch die Grundbedeutung des „Abirrens und Abfallens von
einem Gegenstande" sicher zukömmt, dasselbe nicht in seiner Beziehung auf Gott mit מִן, sondern mit לְ verbunden vorkömmt;

es heißt nicht „abfallen von Jehova", wofür רָחַק und סוּר steht, sondern „nach ihm hin, ihm sündigen".

So steht das Wort des Alten Testamentes fest: אֵין אָדָם אֲשֶׁר לֹא־יֶחֱטָא „es ist kein Mensch, der nicht sündigte" (1 Kön. 8, 46; 2 Chron. 6, 36), und לֹא יִצְדַּק לְפָנֶיךָ כָל־חָי „es ist kein Lebendiger gerecht vor deinem Angesicht" (Pf. 143, 2). Die im Gesetze angeordneten Sündopfer machen dieses menschliche Sündenbewußtseyn zu einem das Volk Jsrael vorherrschend durchdringenden, und nirgends tritt dasselbe zur ernstesten Belehrung und Erweckung ergreifender hervor, als wenn am großen Buß= und Versöhnungstage der Hohepriester als „der Heilige Jehovas" (Pf. 106, 16), dennoch die Nothwendigkeit seiner eigenen Sühne durch ein besonderes Opfer für sich darstellen mußte. Aber es ist das Alte Testament deshalb ebenso weit entfernt, dem Menschen alle Kraft, sich durch Gesinnung, Wort und That das Wohlgefallen Gottes zu erwerben, abzusprechen, sonst würde innerhalb desselben die Anforderung zum בַּקֵּשׁ und דָּרַשׁ יְהֹוָה, zum „Gott Suchen" nicht so oft gehört, und die erweckenden Reden aller Propheten wären leere und vergebliche Worte gewesen; Jesaja hätte nicht ausrufen können: „lernt Gutes thun" (1, 17)! Zwar scheint damit die Stelle Gen. 6, 5 im Widerspruche zu stehen, wo gesagt wird, daß „das Bilden der Gedanken des menschlichen Herzens beständig n u r böse sey", indessen dürfen wir nicht übersehen, daß dort von der Erscheinung der furchtbar zum Höchsten aufgewachsenen Macht der Sünde in der vorsluthigen Zeit die Rede; später (8, 21) fehlt sogar jenes רַק, und es heißt bloß „das Gebilde des Herzens des Menschen ist böse von seiner Jugend an", als sollte das רַק durch das מִנְּעֻרָיו genauer erklärt werden, wie sich denn auch die leuchtende Gestalt Noahs als eine wohlthuende Ausnahme von der sonst Alles beherrschenden Regel des Sündenverderbens der Finsterniß der Zeit gegenüber erhebt. In der nachsluthigen Epoche, wo sich Gott von neuem in Abraham offenbaret, um dereinst in seinem Namen alle Völker, die sich in Folge hoch=

müthiger Auflehnung gegen den Herrn des Himmels in der Verwirrung ihrer Sprachen zerstreut hatten, wieder in der Einheit
allgemeiner Bekehrung zu sich zu sammeln, scheidet sich die heilige Gemeinde Jehovas von den Heiden, als dem Reiche der Welt,
das sich eitlen Göttern des Wahnes, „die Himmel und Erde nicht
gemacht, und die verschwinden werden von der Erde und unter
diesem Himmel" (Jer. 10, 11), unterwirft, und „vor dem Mach-
werk seiner eigenen Hände" niedersinkt. Die גּוֹיִם und יִשְׂרָאֵל
bilden zwei scharf sich ausschließende Gegensätze auf Erden; in
jenen wird Folge und dann Grund der Sünde der Götzendienst, in
diesem soll der Gottesdienst die Macht der Sünde vertilgen, und
nachdem Moses sein Gesetz der äußeren Absonderung und inneren
Heiligung in dem obersten Gebote „es sollen dir keine anderen
Götter seyn vor meinem Angesicht" (Ex. 20, 3) und in dem
anderen daraus fließenden: „ich bin heilig, und ihr sollt auch
heilig werden" gegeben, schließt sich alle Warnung der Hüter
und Wächter desselben, der Propheten, in dem Worte Jeremias
zusammen: „nach der Heiden Weise lernet nicht, und vor des
Himmels Zeichen erbebet nicht: denn es erbeben die Heiden vor
ihnen" (10, 2). Aber sie lernten immer fort unter den Heiden,
vergaßen den treuen Gott des Bundes, der sie aus Ägypten, dem
Hause der Knechte (Ex. 20, 2; Mich. 6, 4) geführt, der ihnen in
der Offenbarung seines Gesetzes das erwiesen, „was er keinem
Volke gethan" (Ps. 147, 20), und das Land, von Milch und
Honig fließend, als Erbe überlassen: sie buhlten unter jedem grünen Baume mit den Göttern der Fremden. Daher bekämpfen die
Propheten die Sünde vor allem in dem Götzendienst; er ist die
schwere Schuld der Nation, die auf ihr lastet, der „Anstoß ihrer
Schuld", מִכְשׁוֹל עֲוֹנוֹ (Ezech. 14, 3. 4. 7), diese „Vertauschung
der Herrlichkeit Gottes mit Göttern, die keine sind und nichts nü-
tzen" (Jer. 2, 11), der „Wahrheit mit der Lüge des Bildes, in
dem kein Geist" (10, 14), des „Lebendigen mit den Todten, den
Leichen, die das ganze Land entweihen" (10, 10; 16, 18). In

dieser Nationalsünde, dem „Abscheu und Gräuel (תּוֹעֵבָה) vor Jehova", legt sich der Schade Josephs als Schade Adams so recht zu
Tage: die Sünde ist nicht nur ein „Verlassen und Verwerfen Gottes", sondern auch ein „freies Ergreifen und Wählen des Nichti-
gen (הֶבֶל) zur Vernichtigung" (2, 5), weshalb Jeremia das Un-
recht in dem rechten Worte trifft, wenn er sagt: „zwei Übel hat
mein Volk gethan: mich haben sie verlassen, die Quelle lebendigen Wassers, zu graben sich Brunnen, zerbrechliche Brunnen,
die das Wasser nicht halten" (2, 13). Es ist überhaupt für die
gründliche Erfassung des Wesens der Sünde im A. T. sehr belehrend, die sie bezeichnenden und beschreibenden Wörter, Ausdrücke
und Redeweisen einer genauen Untersuchung zu unterwerfen, die
Sünde, so zu sagen, in der dort gebräuchlichen Sündensprache
zu lesen. Diese dunkle und unerfreuliche Sprache ist besonders
in den Propheten sehr reich, und wir dürfen uns einer wenigstens
gedrängten Entfaltung und Erklärung derselben hier nicht entziehen.

Heben wir zuerst diejenigen Wörter hervor, welche am häufigsten angetroffen die Sünde bezeichnen, so sind deren besonders
drei: חַטָּאת oder חֲטָאָה, חַטָּאָה, חָטָא, עָוֹן und פֶּשַׁע; von dem
ersteren und letzteren kommen die entsprechenden Verbalformen
vor, von dem mittleren wird keine so bestimmt gefunden. Mag
es immerhin der Fall seyn, daß dieselben, wie man zu sagen
pflegt, unter sich promiscue gebraucht werden, wie denn die gewöhnliche Strömung des Lebensverkehres die ursprüngliche Bestimmtheit der in den Wortbezeichnungen niedergelegten, abgezogenen, begrifflichen Unterscheidungen überall leicht abstumpft und
verwischt; aber einem jeden kömmt doch seine eigenthümliche Bedeutung zu. So finden wir jene drei Wörter in dem oben angeführten 32. Psalm, der von der Vergebung der Sünde nach der
Reue und Buße Davids handelt, neben einander, und zwar nur
allein gebraucht. Er beginnt mit einem Zurufe des Heiles für
den „der hinweggenommen dem פֶּשַׁע, bedeckt der חַטָאָה, dem

Gott nicht anrechnet עָוֹן" (1. 2). Daß er einen genauen Unter=
schied zwischen den beiden letzten Namen macht, ergiebt sich deut=
lich aus V. 5, wo wieder alle drei gelesen werden, indem er am
Schluſſe ſagt: „und du hobſt auf עֲוֹן חַטָּאתִי". Der Gebrauch
des נָשָׂאתָ zeigt unverkennbar, daß er עָוֹן mit einer getragenen
Bürde vergleicht; es iſt demnach die Sünde die drückende Laſt,
die er ſich aufgeladen, und ſo von der inneren חַטָּאת verſchie=
den; die Verfehlung des göttlichen Willens oder Zieles, wie es
im Geſetze hingeſtellt iſt, wurde zur beſtimmten äußeren Hand=
lung. Denn darüber iſt kein Zweifel, daß in dem Stammworte חָטָא
zunächſt der ſinnliche Begriff des Verfehlens liegt, wenn es z. B.
von dem Schleuderer gebraucht wird, der mit dem Steine nicht
trifft (Richt. 20, 16). Am meiſten entſprechend iſt תָּעָה irren, und
abirren, das aber ſeltener vorkömmt, z. B. בְּאַחֲרֵי מֵעַל יְהֹוָה oder
Ezech. 14, 11; 44, 10 von der Verirrung in den Götzendienſt;
das nom. תֹּעָה findet ſich nur Jeſ. 32, 6, das im Syr. vorzugs=
weiſe für die Ketzerei gebraucht wird. Auch das שׂוּט und שָׂטָה
„abweichen" gehört hieher, aber gleichfalls ſelten; die סטים nur
Pſ. 101, 3, während das שֵׂטִים Hoſ. 5, 2 zweifelhafter Erklärung
iſt. Streitiger iſt die Grundbedeutung von עָוֹן; doch leiten wir
es am ſicherſten von עָוָה ab, das in dem ſinnlichen Begriffe der
Krümmung und Verdrehung wurzelt, ſo daß es z. B. im Niph.
von dem ſich Krümmen vor Schmerz vorkömmt (Jeſ. 21, 3). Ent=
ſchieden ſteht es aber beſonders als Hiph. im ſittlichen Sinne, von
dem Verkehren des rechten Weges (Jer. 3, 21), ſelbſt ohne Zu=
ſatz von דֶּרֶךְ, z. B. 2 Sam. 7, 14; es iſt dem יָשָׁר gerade entge=
gengeſetzt. Jedenfalls iſt daher עָוֹן nie die Sünde im Innern,
ſondern die, welche zur עֲלִילָה, zur Handlung wird, mit welchem
Worte häufig die verübte Einzelheit der Sünde bezeichnet iſt, z. B.
5 Moſ. 22, 14. 17, wo die עֲלִילֹת דְּבָרִים erwähnt werden, oder
auch רֹעַ מַעַלְלִים (Jeſ. 1, 16; Jer. 4, 4). So ſteht auch Hoſ.
12, 9 עָוֹן und חֵטְא in dieſer genauen Unterſcheidung: „alle meine
Arbeiten erwerben mir nicht עָוֹן אֲשֶׁר־חֵטְא", und wenn David

betet: „wasche mich ganz rein מֵעֲוֹנִי, und reinige mich מֵחַטָּאתִי‎", so versteht er nach V. 12, wo er um ein reines Herz fleht, gewiß unter חַטָּאת die innere Sündenbefleckung; desgleichen finden wir diese Unterscheidung Jes. 6, 7 in dem סָר עֲוֹנֶךָ und וְחַטָּאתְךָ הַמַטָּאתְךָ. Wenn wir der oft gemachten Bemerkung begegnen, daß עָוֹן an manchen Stellen auch die Folge der Schuld, die Strafe bedeute, so liegt diese freilich in jener nothwendig eingeschlossen, und es wäre denkbar, daß die letztere Bedeutung bisweilen ganz allein, oder wenigstens vorherrschend in dem Worte heraustrete, aber so entschieden können wir das nicht behaupten; Jes. 5, 18 gehört sicher nicht hieher, wo der Prophet ein Wehe über diejenigen ausruft, „welche mit Stricken des Frevels herbeiziehen הֶעָוֹן‎": denn, indem er dort in seiner Strafrede verschiedene Classen von Sündern uns vor Augen stellt, hat er hier diejenigen im Sinne, welche mit Bewußtseyn, so recht mit Lust und Anstrengung Schuld auf Schuld häufen; eher könnte man Pf. 69, 28 versucht seyn, in עָוֹן jenen Doppelsinn der Bedeutung hervorzukehren und תְּנָה־עָוֹן עַל־עֲוֹנָם zu übersetzen: „füge Strafe zu ihrer Schuld", sicherer aber nehmen wir beide Male das Wort in einer und derselben Bedeutung: „setze Schuld auf ihre Schuld", so daß wir den Sinn gewinnen: Gott möge die Frevler zu ihrer Strafe immer tiefer in Sünden versinken lassen. — Wenn wir demnach auch etymologisch nicht berechtigt sind, עָוֹן durch „Schuld" zu übersetzen, so wird es doch für culpa in ihrer Unterscheidung von peccatum gebraucht; es ist die Sünde, die als Verschuldung gehoben werden muß. — Was nun das dritte Wort פֶּשַׁע betrifft, dem wir überall begegnen, und das z. B. Amos vorzugsweise wählt, indem er im Eingange seines Buches das Gericht Gottes über die Vergehungen einer ganzen Reihe von Völkern verkündet (1, 3. 6. 9. 11. 13; 2, 1. 4. 6), so bezeichnet es die Sündenthat als einen Bruch mit Gott: denn das Stammwort פָּשַׁע, so häufig mit Jehova in Verbindung gesetzt, ist mit مسه, פסם und فَسَقَ

„brechen" verwandt; so kömmt im collectiven Sinne Spr. 18, 19 אָח נִפְשָׁע vor „Brüder, die gegenseitig mit einander brechen". Bemerkenswerth ist aber, wie das verb. in der Regel mit בְּ construirt wird, selten mit עַל (Hos. 8, 1), פָּשַׁע בַּיהֹוָה, was man freilich „abfallen von Jehova" zu übersetzen pflegt, streng genommen aber heißen muß: in Jehova, d. i. obschon im Bunde mit ihm stehend, einen Bruch begehen, was sonst הֵפֵר בְּרִית ist (Lev. 27, 44). פֶּשַׁע und חַטָּאת sind auch nicht geradezu identisch; Jes. 1, 28 werden die פֹּשְׁעִים neben den חַטָּאִים noch besonders genannt, und Hi. 34, 37 scheint פֶּשַׁע stärkere Bedeutung zu haben, als חַטָּאת, wo es von Hiob heißt: יֹסִיף עַל חַטָּאתוֹ פֶּשַׁע, „er fügt zu seiner Sünde noch Verbrechen", wie wir פֶּשַׁע im Deutschen wohl am treffendsten wiedergeben. Fassen wir demnach alle drei Wörter in ihrem Verhältnisse zu einander nochmals auf, so tritt die Sünde zuerst als חַטָּאת im Inneren des Menschen hervor und wird als äußere Bethätigung auch mit demselben Worte bezeichnet; als Verdrehung und Verkehrung des Geraden und Rechten wird sie zur Verkehrtheit im schlimmsten Sinne der offen vorliegenden Schuld, עָוֹן, und diese steigert sich zum פֶּשַׁע, zum vollständigen Bruch mit Gott, zum Verbrechen. Außerdem bieten sich uns noch verschiedene andere Bezeichnungen der Sünde dar, die gleichfalls eine Erwägung verdienen. So finden wir häufig סָרָה (z. B. Jes. 1, 5; 31, 6; 51, 13; Jer. 29, 32 u. a. St.) als entschiedene Zurückweichung von Gott, von סוּר, nicht סָרַר, widerspenstig seyn; מְשׁוּבָה in gleicher Bedeutung (Hos. 11, 7; 14, 5), besonders von Jeremia gebraucht (8, 5, auch im Plural מְשׁוּבֹת, 2, 19); in seiner Strafrede zur Buße dreht sich Alles um das שׁוב in seinem bedeutungsvollen Doppelsinne des sich Abkehrens von Jehova und Wiederzukehrens zu ihm; 3, 22 heißt es nachdrucksvoll: שׁוּבוּ בָּנִים שׁוֹבָבִים, „kehret wieder, ihr abgekehrten Kinder"! In dem עַוְלָה und עָוֶל, auch עַלְוָה (Hos. 10, 9) von עָוַל liegt nach Vergleichung des Arab. عال gleichfalls die

Bedeutung der Abweichung von dem Rechten und das Verdrehen des Geraden; Jes. 26, 10 steht das רָשָׁע dem נְכֹחוֹת gegenüber (z. B. auch Pf. 71, 4). Vorzüglich beachtungswerth sind ferner die Wörter שָׁוְא und אָוֶן, welche eigentlich die Nichtigkeit bedeuten und für Frevel gebraucht werden. Vgl. z. B. Jes. 5, 18, wo wir schon der חַבְלֵי הַשָּׁוְא gedacht haben; אָוֶן, sehr häufig vorkommend, wird gerne mit עָמָל verbunden, in dem ganz unser doppelsinniges „Unheil" gegeben ist; Jes. 10, 1 wird ein Wehe über diejenigen ausgerufen, welche festsetzen חִקְקֵי־אָוֶן, „Satzungen des Frevels und die da schreiben עָמָל"; Hiob 15, 35 stehen beide Wörter in vollkommen gleicher Bedeutung. Es erscheint in diesen Bezeichnungen das hochsittliche Urtheil ausgeprägt, daß die Sünde aus der Lüge (שֶׁקֶר) kömmt, eine Lüge ist, und vor Gott zur Lüge, zum Wahne und zur Nichtigkeit (הֶבֶל) wird, weshalb auch namentlich die Götzen als Werke des שֶׁקֶר, הֶבֶל und אָוֶן verurtheilt werden. Damit hängt auch zusammen, daß die Sünde Thorheit nicht nur genannt, sondern auch benannt wird. In den ersten neun Capiteln der Sprüche Salomos erscheint die כְּסִילוּת als Personification in der Gestalt eines buhlerischen Weibes (9, 13), das besonders den Jünglingen auflauert, sie an sich zu locken, um sie zu den finsteren Tiefen des Todtenreiches hinabzusenden; ihr Gegenbild ist die חָכְמָה, welche ihren Jüngern den Baum des Lebens verheißt (3, 18; 9, 1 u. fl.), aber am stärksten ist in dem vorzüglich in den Sprüchen und im Hiob vorkommenden Worte תּוּשִׁיָּה, dem der Begriff des wahren Seyns (יֵשׁ) zum Grunde liegt, die Verbindung von Weisheit und Heil in dem Bestande des Wesens, allem Scheine der Thorheit gegenüber, ausgedrückt (Spr. 2, 7). Daher bezeichnet נְבָלָה, Thorheit, recht eigentlich die innere Schlechtigkeit, welche Verfall und Verwesung in sich selber trägt und mit sich bringt; das Stammwort נָבֵל, verwandt mit נָפַל und בָּלָה, vereinigt die Bedeutungen des Hinsinkens, Verwelkens und Thöricht- und Schlechthandelns (Spr. 30, 32), und נבלה „Leiche" ist von נְבָלָה „Thorheit" nur durch die

Punctation unterschieden. Der Unglaube ist die höchste Thorheit, nach dem Ausspruche des Psalmisten (14, 1) אָמַר נָבָל בְּלִבּוֹ אֵין אֱלֹהִים „es spricht der Thor in seinem Herzen: es ist kein Gott". Sinnig umfaßt נְבָלָה Hi. 42, 8 die Thorheit der Sünde und ihre Folge, aber am häufigsten ist das Wort für wirkliche Schandthat im Gebrauch (Richt. 19, 25), besonders für Werke verabscheuungs=würdiger Unzucht (Gen. 34, 7; Deut. 22, 21 u. a. St.); es ist beachtungswerth, wie es mit זִמָּה zusammengestellt ist, um den milderen Begriff der Thorheit zu beseitigen, und diese als die Ausgeburt überdachter Bosheit, als Laster zu brandmarken (Richt. 20, 6): denn זִמָּה, von זָמַם aussinnen, aber besonders etwas Böses, kann zwar auch im allgemeinen Sinne stehen (Hi. 17, 11), doch wird es vorzugsweise im übelsten angetroffen, und nament=lich auch von dem gröbsten Verbrechen der Buhlerei (Ezech. 16, 27, 43; 22, 11; Hi. 31, 11). Hier zeigt sich die Sünde als bö=ser Gedanke hauptsächlich in den natur= und gesetzwidrigen Ab=scheulichkeiten der Wollust, in dem Versinken des Menschen in die Fleischlichkeit. In gleicher Weise tritt auch an die Stelle der נְבָלָה die אִוֶּלֶת, die verstockte Thorheit (Ps. 38, 6; 69, 6): denn אֱוַל = אול deutet auf Verstärkung, und die אֱוִילִים stehen unter den פְּתָיִים und כְּסִילִים besonders in den Sprüchen Salomos in vorderster Reihe. Das mildeste Wort für Sünde, so recht der זִמָּה entgegengesetzt, ist שְׁגָגָה, von שָׁגַג = שָׁגָה irren, das Ver=gehen aus Unkunde, Irrthum (Lev. 4, 2. 22. 27; Pred. Sal. 5, 5), auch שְׁגִיאָה (Ps. 19, 13) genannt, wozu einem Theile nach „die Sünden der Jugend" (Ps. 25, 7; Hi. 13, 26) zu rech=nen sind. Es ist aber für die Tiefe des Sündenbegriffes von nicht zu übersehender Wichtigkeit, daß auch solche Vergehungen, die נִסְתָּרוֹת, das Verborgene (Deut. 29, 28), die עֲלוּמִים, die heimlichen Sünden (Hi. 20, 11; Ps. 90, 8), als Verschuldungen betrachtet wurden, und eigene Sühnopfer im Gesetze dafür ange=ordnet waren. Derjenige, heißt es, welcher sündiget, בִּשְׁגָגָה, wird zu einem אָשֵׁם, er ist schuldig, und bedarf des אָשָׁם, des Schuld=

opfers (z. B. Lev. 4, 22), das von dem חַטָּאת, dem Sündopfer, unterschieden wird. Indem wir aber hier auf diesen schwer zu bestimmenden Unterschied nicht näher eingehen können, da soviel deutlich erhellet, daß das Schuldopfer nicht bloß für Irrthums- und Unterlassungssünden dargebracht werden sollte, bemerken wir nur, daß אָשָׁם unter den für Sünde gebräuchlichen hebräischen Wörtern dasjenige ist, welches dem Begriffe nach am meisten mit unsrem deutschen „Sünde“, sey sie bewußt oder unbewußt, über- einstimmt. Es haftet an ihm der besondere Begriff der nothwen- digen Abbüßung einer Schuld, die man auf sich geladen. Wir ersehen dieses aus der Beleuchtung des Zusammenhanges an Stel- len, wo das Zeitwort אָשֵׁם vorkömmt; es steht in solcher Ver- bindung, daß ihm geradezu die Bedeutung des „Büßens“ bei- gelegt werden muß, z. B. Hos. 10, 2: „glatt war ihr Herz“, עַתָּה יֶאְשָׁמוּ, „nun müssen sie es büßen“, oder 5, 15: אֲשֶׁר יֶאְשְׁמוּ, „bis daß sie büßen, und mein Angesicht suchen“, und ebenso Jo. 1, 18: „selbst die Heerden der Schafe נֶאְשָׁמוּ, erschei- nen, als hätten sie sich mitverschuldet und sollten mitbüßen“. Wenn wir das Wort etymologisch betrachten, so scheint es sich mit Vergleichung des שָׁמֵם am ersten auf die Grundbedeutung des Verwüstens zurückführen zu lassen; wir gewinnen dann den Begriff der Schuld als einer Störung und Zerstörung der heiligen Ordnung, wie sie im Gesetze vorgeschrieben ist; אָשָׁם ist die Ver- sündigung am Staate, an der Theokratie, insofern der Einzelne, gegen den sie gerichtet ist, ein unverletzliches Glied des Ganzen ist, an dessen Spitze der Heilige von Israel steht. Daher heißt es auch Jer. 51, 5: „denn ihr Land ist voll von אָשָׁם“, mit dem besonderen Beisatz מִקְּדוֹשׁ יִשְׂרָאֵל „wegen des Heiligen von Is- rael“; ebenso ist die Femininalform אַשְׁמָה „Verschuldung“, be- sonders in den Büchern der Chronik gebraucht, z. B. 2 Chron. 28, 13 לְאַשְׁמַת יְהוָה עָלֵינוּ „zur Verschuldung gegen Jehova, die über uns kömmt“. Vorzüglich bemerkenswerth ist in dieser Beziehung Jer. 2, 3: „heilig ist dem Jehova Israel, seine Erst-

lingsfrucht: Alle, die es verzehren, werden büßen, es soll Un=
heil kommen über sie". Wenn wir diese Stelle mit Lev. 22, 15
u. 16 in Zusammenhang bringen, wo gesagt wird: „sie sollen
nicht entweihen das Heilige der Söhne Israels, das, was sie ha=
ben für Jehova, und sollen sie nicht tragen lassen עֲוֹן אַשְׁמָה,
das bestimmte Vergehen der Verschuldung, indem sie ihr Heiliges
essen", so erhellet deutlich, was wir auch sonst aus dem Abschnitt
über das Schuldopfer wahrnehmen (Lev. 5, 20 — 26; 6, 1 — 7;
Num. 5, 6 u. fl.), daß die אַשְׁמָה, welche hier genau von der
Schuld an sich unterschieden wird, vorzüglich als eine Beraubung
von Seiten einer einzelnen Person an dem theokratischen Heilig=
thum gefaßt wurde. Wir finden daher auch, daß die häufige
Redeweise מָעַל מַעַל ganz besonders als Grund der אַשְׁמָה ge=
braucht wird (Lev. 5, 15. 20; Num. 5, 6 u. s. w.); מָעַל, wie
die Vergleichung des arabischen مَعَل zeigt, hat aber ursprünglich
die Bedeutung des „Beraubens", erscheint indessen im Hebräi=
schen nur in dieser höchsten Beziehung, wenn einer an einem Hei=
ligen und dadurch sich an Gott selbst, so zu sagen, vergreift, so
daß es am häufigsten in der Formel מָעַל מַעַל בַּיהֹוָה, oder bloß
מָעַל בַּיהֹוָה vorkömmt, und dann auch geradezu mit חָטָא iden=
tisch ist, z. B. Ezech. 14, 13; 16, 8, wie denn in diesem allge=
meinen Sinne das nom. מַעַל so vorkömmt, z. B. Hi. 21, 34;
immer aber ist seine Grundbedeutung eine Veruntreuung am
Heiligsten, und deßhalb braucht auch wohl Hiob gerade dieses
Wort für Sünde, weil er hervorheben will, daß die Erwiederun=
gen seiner Freunde bei genauer Prüfung zuletzt nur als ein מַעַל,
als ein Frevel am Heiligsten übrig bleiben, oder sich darauf zu=
rückführen lassen. So wird auch z. B. der König Usia des מַעַל
bezüchtigt, weil er im Tempel die priesterliche Verrichtung des
Räucherns übernommen (2 Chron. 26, 19). Es können dergleich=
chen Veruntreuungen allerdings auch unabsichtliche seyn, und
wenn für solche das Gesetz sogar ein eigenes Opfer vorgeschrieben,

nur nicht allein für diese, so erkennen wir abermals, wie gründlich das Alte Testament die Sünde als eine Verunreinigung des Reinen faßt, die gesühnt werden muß; sie wird zu einer טֻמְאָה schon durch die zufällige und nachher bemerkte Berührung eines äußerlich unreinen Gegenstandes (Lev. 5, 3), und kein Prophet hat eine so scharfe Scheidung zwischen dem Reinen und Unreinen gezogen, als Ezechiel, vorzüglich in seinem letzten Buche, in dem er den neuen Tempel aufbaut und die neue Priesterschaft einrichtet, „den Unterschied zu lehren zwischen Heiligem und Gemeinem, und kund zu thun den Unterschied zwischen Unreinem und Reinem" (44, 23). Der Begriff der Sünde als einer Entweihung des Heiligen liegt auch in dem verb. חָנֵף, das besonders von der Befleckung des heiligen Bodens und Landes gebraucht wird (Jer. 3, 2); חֹנֵף steht daher als Vermessenheit des Menschen gegen Gott und ist ein sehr starkes Wort (Jer. 32, 6); der חָנֵף ist ein recht frecher Sünder, z. B. Hi. 8, 13; 13, 16: „denn vor sein Angesicht darf kein חָנֵף kommen". Die stärkste Bezeichnung aber der Sünde als einer Verunreinigung, Entweihung und Entheiligung ist in dem זָנָה gegeben, womit auf die durchgreifende Anschauung des Bundes als einer heiligen Ehe des Volkes mit Gott, worauf sich die mannigfaltigsten Redeweisen beziehen, hingedeutet wird; die götzendienerische Schuld ist Hurerei, זְנוּנִים, die fremden Götter sind die Buhlen. Die Israeliten verlassen treulos (בָּגַד) Jehova, ihren Gemahl, wandeln andern Göttern nach, an denen sie ihre Lust haben, und treiben Ehebruch (נָאַף); ja, das ist ein Hauptwort für die Sünde, daß sie זֹנִים oder זֹנוֹתִים und נֹאֲפִים sey; es wimmelt in den Propheten von hieher gehörigen Ausdrücken, Vergleichungen und Redeweisen; vgl. besonders Hosea zu Anfang seines Buches und Ezechiel 16 u. 28. Der Götzendienst ist als Lüge der Wahrheit zur verführerischen Macht der alten Schlange geworden, welche die Sinnlichkeit des Volkes reizt und das לֵב סוֹרֵר וּמוֹרֶה „das widerspenstige und empörerische Herz" (Jer. 5, 23) zum Abfall von dem treuen Gott des Bundes verleitet, so daß die Söhne Israels סָרֵי סוֹרְרִים „Abtrünnige der Widerspenstigen" werden (Jer. 6, 28); sie sind ein בֵּית מְרִי „ein Haus der Widerspenstigkeit", wie Ezechiel sie vorzugsweise immer nennt (2, 5. 6. 7. 8; 3, 9. 26; 12, 2. 3. und an vielen Stellen). So wirkt die חֲטָאָה, die im לֵב עָקֹב und סָרֵר ihren Sitz hat, auf die חֶמְדָּה „die Lust" — die Götzen heißen daher חֲמוּדִים (Jes. 44, 9) — und die Lust setzt die מְרִי in Bewegung, und diese wird zum entschiedenen מֶרֶד, zur Empörung der That des Treubruchs: denn wir sollen wahrscheinlich diesen Unterschied noch zwischen מָרָה und מָרַד setzen; wenigstens steht dieses letztere Wort in vorzüglich starker Bedeutung Hi. 24, 13, wo die מֹרְדֵי־אוֹר als Widersacher des Lichtes unter den frechsten Frevlern genannt werden. Vortrefflich zeichnet Jeremia den Anfang des Sündenlaufes, wenn der, welcher ein עֶבֶד יְהֹוָה, ein wahrer Freier, dem Gott sein Joch zerbrochen und seine Bande gelöst, in der עֶבְרָה und dem גַּבְהוּת, in dem Übermuthe und Stolze seines Herzens ausruft: לֹא אֶעֱבֹד „ich will nicht dienen" (2, 20), und sein Volk spricht: רַדְנוּ „wir wollen frei umher laufen" (vgl. auch das wohlgewählte רוּד im Sinne der falschen Freiheit Hos. 12, 1), „und nicht ferner zu dir kommen" (2, 31). In diesem Scheingefühle der Ungebundenheit gehen die זֵדִים „die Übermüthigen", die מַתְעִים „die Verführer" der Treuen (Ps. 19, 14), in dem זְדוֹן לֵב (Spr. 11, 2), „sich abkehrend in ihrem Laufe" (Jer. 8, 6) auf ihren eigenen Wegen, „rückwärts und nicht vorwärts gewandt" (7, 24), „Gott den Nacken und nicht das Angesicht zukehrend" (2, 27); sie „verlassen und verschmähen Gott, fremden Göttern dienend" (5, 19; Jes. 1, 4); „ihn kränkend, מַכְעִיסִים (Jer. 7, 19) merken sie nicht auf sein Wort, verwerfen es und verachten sein Gesetz" (6, 19; 8, 9), werden „Männer des Bluts" (Ps. 55, 24; 59, 3 u. a. St.), die „mit ihrem Munde segnen, und mit ihrem Herzen fluchen" (Ps. 62, 5); „sie weigern sich, Zucht anzunehmen, verhärten ihre Angesichter, mehr als Fels, sie weigern sich, sich zu bekehren" (5, 3), und „wandeln in den Rathschlägen, in der Starrheit ihres bösen Herzens" (3, 17; 7, 24; 9, 13 u. f. w.); verstockt (קְשֵׁי לֵב Ezech. 3, 8), frech von Stirn und Angesicht (חִזְקֵי מֵצַח, עַזֵּי פָנִים Ezech. 3, 8; 7, 24 vgl. m. 5 Mos. 28, 50), Spötter, Verdreher der Wahrheit, Lästerer (לֵצִים Pf. 1, 1; Jes. 28, 4), „die in ihren eigenen Augen klug" (Jes. 5, 21), „die zum Bösen sagen gut, und zum Guten bös, die Finsterniß in Licht, und Licht in Finsterniß, die Bitteres in Süß und Süß in Bitteres verwandeln" (Jes. 5, 20), die sagen: „wir haben geschlossen einen Bund mit dem Tode, und mit der Hölle einen Vertrag gemacht: denn die Lüge setzen wir zu unsrer Zuflucht, und im Truge sind wir wohlgeborgen" (Jes. 28, 15) — so „schreiten sie von Bosheit zu Bosheit fort, und wollen in ihrem Truge (בְּמִרְמָה) Gott nicht erkennen" (Jer. 9, 2. 5); sie sagen: „ich habe nicht gesündigt" (Jer. 2, 35). Es ließe sich leicht diese Stufenleiter der Sünde von der ersten Regung der Lust (תַּאֲוָה) zum Übermuth (עֶבְרָה), Hochmuth (גֹּבַהּ, גַּבְהוּת) und Stolz (רוּם) bis zur äußersten Spitze des Frevels in der Gottvergessenheit und der ärgsten Verstockung noch mit den treffendsten Bezeichnungen weiter belegen, aber diese gedrängte Zusammenstellung wird zu unsrem Zwecke schon genügen. Suchen wir nun zuletzt nach einem Ausdrucke, in dem das finstere und abscheuliche Wesen der Sünde am abschreckendsten dargestellt wird, so ist er uns Jes. 57, 20 gegeben: „die Bösen sind wie das aufgeregte Meer: denn ruhen kann es nicht, und seine Wasser regen auf Schlamm und Koth". Die Bösen werden רְשָׁעִים genannt, und dieses ist der allgemeinste Name derselben, wie auch רֶשַׁע und רִשְׁעָה als abstr. vorkömmt. Genau genommen bilden aber die רְשָׁעִים den schärfsten Gegensatz zu den צַדִּיקִים, und wie die Grundform צָדַק ursprünglich „hart und fest seyn" bedeutet, so רָשַׁע „unruhig bewegt seyn", wie denn auch an der eben angeführten Stelle des Propheten die רְשָׁעִים passend mit dem aufgeregten Meere verglichen sind, und noch (V. 21) hinzugefügt wird: „es ist kein Friede den Bösen". Es liegt zunächst nur in dem רָשַׁע die leidenschaftliche Erregtheit

durch die Luft, und Pf. 1, 1 hat doch immer die Erklärung sehr
viel für sich, daß nach einer Steigerung in den Worten des Ver-
ses, in dem Verhältniß zu dem הָלַךְ, dem עָמַד und dem יָשַׁב,
sowie der עֵצָה, dem דֶרֶךְ und dem מוֹשַׁב, die רְשָׁעִים als auf der
unteren Stufe stehend, freilich immer als die von dem Bösen Ge-
triebenen und Bewegten noch von den חַטָּאִים, den ausgemachten
Sündern der That, und diese wieder von den לֵצִים, den frivo-
len Spöttern, unterschieden werden. Ebenso ist in dieser Hinsicht
auch eine Stelle im Hiob (3, 17) bemerkenswerth, wo bei der
Beschreibung der Ruhe im Todtenreich gesagt wird: dort hören
die רְשָׁעִים auf zu zittern, חָדְלוּ רֹגֶז, wo wenigstens in dem ge-
wählten Namen der Bösen die Bedeutung der Unruhe hervorgekehrt wird, wie es denn auch Pf. 32, 10 von dem רָשָׁע heißt,
er habe „viele Schmerzen“ auszustehen. Wir sind aber weit
entfernt, in Abrede zu stellen, daß dann רֶשַׁע, welches häufig in
einem ganz allgemeinen Sinne gebraucht wird, im Gegensatze zu
dem צֶדֶק, wonach die ungerechten Richter besonders diejenigen sind,
welche מַצְדִּיקֵי רָשָׁע „Rechtsprecher des Ungerechten“ genannt werden (Jes. 5, 23 vgl. mit Spr. 17, 15. Ez. 23, 8), zur vollendeten Bosheit, Ungerechtigkeit, wie der Gesinnung, so der Handlung
wird. In diesem Gegensatze stehen צֶדֶק und רֶשַׁע entschieden
Pf. 45, 8. Ezech. 21, 8. 9. Die Ungerechtigkeit steigert sich zum
Höchsten in dem verfolgungssüchtigen Hasse der Gerechten, und
fast alle Psalmen sind der Klagen der Frommen darüber voll;
רֶשַׁע wird zur שִׂנְאָה, ja zur שִׂנְאַת חָמָס (Pf. 25, 19), „zum
Hasse der Gewaltthat“. Dieses letztere Wort, stärker noch als
עֹשֶׁק, Bedrückung, besonders der Armen, wo die Selbstsucht zum
gewaltsamen Eingriff wird, findet sich sehr viel, wo von der gröbsten und frechsten Beleidigung und Beeinträchtigung des Rechtes
des Einen gegen den Andern die Rede, und wenn die Ungerechten
die Überhand bekommen, dann heißt es: מָלְאוּ אֶת־הָאָרֶץ חָמָס (Ez.
8, 17) „sie haben das Land angefüllt mit Gewaltthat“, und „die
Stadt ist voll von Gewaltthat“ (7, 23); aber הֶחָמָס קָם לְמַטֵּה־רֶשַׁע

„die Gewaltthat wird zum Stabe" d. i. zur Strafe der Ungerech=
tigkeit (7, 11). Fragen wir nach einer Bezeichnung der Selbst=
sucht, der Wurzel alles Sündigens, von ihrer ersten Regung bis
zu ihrem Herausbruch in Stehlen, גָּנַב, Rauben und Plündern,
בָּזַז ‚שָׁסָה, Tödten und Morden, הָרַג ‚רָצַח, Ehebrechen, נָאַף mit
dem ganzen Register der Fleischesvergehungen, des זָנָה, so liegt
sie in der קִנְאָה, nach der Verkehrung ihres Lichtes im „Liebes=
eifer", in „Eifersucht" und „Neid"; auch das Wort בֶּצַע können
wir sodann hieherziehen, wo die קִנְאָה in die That übergeht, und
in der Beraubung „Gewinn" sucht; der בֹּצֵעַ בֶּצַע ist der Egoist
(Spr. 1, 19; 16, 27; Jer. 6, 13), wobei nach der Grundbedeu=
tung des verb. die sich äußernde Selbstsucht treffend in das „Zer=
schneiden und Zerreißen" gesetzt wird. Betrachten wir endlich
noch das Wort, in welchem das Böse nach allen seinen Beziehun=
gen zum Ausdruck kömmt, so ist es jenes, welches wir schon oben
zur Bezeichnung der Beschaffenheit des Herzens gefunden haben,
wenn dieses לֵב רַע genannt wird; keines wird häufiger angetroffen,
als dieses הָרַע und רָעָה, welches das inwendige und auswendige
Böse umfaßt, und wir gedenken der leider! immer wiederkeh=
renden Formel: וַיַּעַשׂ הָרַע בְּעֵינֵי יְהֹוָה, „er that das Böse in den
Augen Jehovas". Will der Prophet alles Böse der Welt zusam=
menfassen, so sagt er פָקַדְתִּי עַל תֵּבֵל רָעָה (Jes. 13, 11), und
oben in der angeführten Stelle, wo der immer tiefere Verfall des
Volkes geschildert werden sollte (Jer. 9, 2), hieß es: מֵרָעָה
אֶל־רָעָה יָצָאוּ; soll das vollendete Böse hervorgehoben werden,
so verbindet Hosea רָעַת רָעַתְכֶם, „das Böse eures Bösen" (10, 15);
ebenso drängt Ezechiel das ganze Sündenregister des Volkes in
den Ausruf zusammen: „und es geschah nach allem deinem Bösen,
אַחֲרֵי כָּל־רָעָתֵךְ, wehe, wehe dir, spricht der Herr Jehova" (16, 23),
und „eh' offenbart ward deine Bosheit" (57); ja, was wir „Bos=
heit" nennen, wird Spr. 16, 30 entschieden durch „כִּלָּה רָעָה, er
hat die Bosheit vollendet" bezeichnet, indem dort von dem Fal=
schen und Heimtückischen die Rede ist. Das רָעָה ist dem תּוֹצֵבָה

gerade entgegengesetzt, wie wir immer das הֵרַע und הֵיטֵב einander gegenüber finden (Jes. 1, 16. 17), und in dem Übel liegt
auch die Folge als Übel, wie in dem Guten das Gute, das einem widerfährt (Jes. 3, 10. 11). Etymologisch verhält . sich's
mit רוּץ und רָעַע wie mit רָשַׁע; es hat zur Grundbedeutung das
unruhig Erregtseyn, so daß es selbst vom Lärmen, Jubeln und
Jauchzen steht, während umgekehrt auch das Herz רַע genannt
wird, wenn es von Kummer und Betrübniß bewegt ist (Spr. 25,
20). Will endlich die hebräische Sprache die Niedrigkeit und
Schlechtigkeit zugleich in ihrer Verderblichkeit ausdrücken, so wählt
sie dafür das starke Wort בְּלִיַּעַל „Nichtsnutzigkeit", welches besonders gerne mit אִישׁ, אָדָם, בֶּן verbunden wird; beide Bedeutungen durchdringen sich am stärksten in dem יֹעֵץ בְּלִיַּעַל Nah.
1, 11, und Ps. 18, 5 steht das Wort in gleichem Sinne, nimmermehr für „Todtenreich"; Hi. 34, 18 heißt es: „darfst du zu
einem König sagen בְּלִיָּעַל"? und parallel folgt dann geradezu
רָשָׁע. Wir könnten, nachdem wir sorgfältig der Sünde und ihrem Ausdruck im A. T. nachgegangen, unsere Betrachtung nicht
besser, als mit den Worten Jeremias schließen, die er sein Volk
in Reue und Buße aussprechen läßt: נִשְׁכְּבָה בְּבָשְׁתֵּנוּ „da liegen
wir in unserer Schande" (3, 25), und „unsere Schmach bedecket
uns: denn Jehova, unsrem Gott, haben wir gesündiget und
unsre Väter von unsrer Jugend an bis auf diesen Tag". Ja,
הַבֹּשֶׁת „die Schande" ist die Sünde, die an dem Menschen haftet.

Aber, wiederholen wir von neuem, wer hat diesen Schand=
fleck auf das Blatt der Menschengeschichte geschrieben? — Der
reine Finger des guten und heiligen Gottes nicht. Doch der Satan? — Wir haben bereits gesehen, daß der נָחָשׁ nicht der Vater der Sünde, der sie erzeugte, sondern nur arglistiger Versucher, Unterhändler und Verführer war. Da aber der Satan
später doch im A. T. erscheint, so dürfen wir einer genauen Forschung nach seinem Wesen nicht ausweichen.

Bei der Schärfe des monotheistischen Begriffes, wie wir ihn

oben herausgestellt haben, erwarten wir von vornherein im A. T. keinen Herrn und Gebieter eines Reiches böser Geister, der mit dem Schöpfer Himmels und der Erde um die Alleinherrschaft kämpfte; der „Fürst der Welt" hat keine Macht vor Dem, der spricht: „es werde! der gebietet, und es steht da; der den Him= mel neiget ganz allein, und versiegelt die Gestirne, in dessen Hand der Athem alles Lebenden". Wer etwa nur in den „Kosmos des Alten Testamentes", wie der größte Naturforscher den 104. Psalm genannt, hineingeschaut und in diesem hellen Weltspiegel das An= gesicht Gottes gesehen, wird den Teufel im Alten Testament nicht suchen und vermissen. Und wie könnte vor dem Lichte des Heili= gen von Israel der selbstständige Beherrscher der Finsterniß Ge= stalt und Platz gewinnen? — In dem Reiche der Heiden, in dem sich die Macht des Bösen festgesetzt, das in seiner Gottverges= senheit, Auflehnung und hartnäckigen Empörung gegen das Kö= nigthum Jehovas, des „Felsen von Israel", die „Welt" des Alten Testamentes bildet, müßten wir den „ἄρχων τοῦ κόσμου" (Joh. 14, 30) am ersten ausfindig machen können. Und aller= dings haben die גוים in der Gemeinschaft ihrer Verwerfung des Einen allmächtigen, lebendigen und heiligen Gottes, aber in ih= rer Zerspaltung in der Anbetung der mannichfaltigsten Götzen, ihre Herren, שדים und בצלים, vor denen sie die Kniee beugend Opfer des Gräuels darbringen, und im Gefolge derselben ihre Wahrsager, Zauberer und Todtenbeschwörer, die im Dunkeln ihr Wesen treiben, während die Propheten im klaren Scheine des Tages reden und wirken; aber die Götzen sind nicht אלהים, „Starke", sondern אלילים, „Nichtige", ja מתים, „Todte", die „weder Gutes noch Böses thun können" (Jes. 41, 23; Jer. 10, 5), und unter den verschiedenen Namen, die ihnen beigelegt werden, kömmt nicht einer vor, der sie als „die Bösen!" bezeichnete. Nur der Aberglaube des götzendienerischen Volkes mit seinen von dem Bundesgotte abgefallenen Königen, die mit wenigen Ausnahmen „thaten, was böse war in den Augen Jehovas", nennt sie „Her=

ren", vor dem Glauben der Frommen und Propheten aber schwin-
den sie in „Lüge" und „Nichts". Hätte selbst der Wahn der
Ungläubigen einen „Herrn der Herrn" erdichtet, vor dem treuen
Gottesbewußtseyn wäre הַבֶּצַל בְּצָלִים dem Jehova gegenüber doch
nicht הַשָּׂטָן. Dieses ist nun der Name, der im Alten Testamente
zwar einem bösen Geiste gegeben wird, aber ὁ σατανᾶς ist doch
nicht ὁ ἄρχων τοῦ κόσμου, sondern er erscheint nur als ὁ διάβολος
in der Bedeutung und Eigenschaft des κατήγωρ (Apoc. 12, 10), des
„Anklägers". Fragen wir zuerst nach der Bedeutung seines Namens, so liegt freilich keinesweges in dem Stammwort שָׂטַן ursprünglich die besondere des „Anklagens", sondern es steht wie
das verwandte שָׂטַם und das arab. شَطَن für „befeinden" überhaupt; שָׂטַם finden wir Gen. 27, 41 in einem Zusammenhange
gebraucht, der uns den Schluß ziehen läßt, daß es noch stärker sey,
als שָׂנֵא „hassen": denn es heißt von Esau: „וַיִּשְׂטֹם אֶת־יַעֲקֹב
wegen des Segens, womit ihn sein Vater gesegnet"; und es läßt
sich voraussetzen, daß er seinen Bruder mit dem bittersten und
heftigsten Hasse werde gehaßt und verfolgt haben; ebenso ist dasselbe verb. auch Cap. 50, 15 gebraucht, wo die Brüder Josephs
fürchten, dieser möchte sie nach dem Tode des Vaters, um ihnen
alles Übel zu vergelten, was sie ihm einst zugefügt, feindselig be-
handeln, woraus hervorgeht, daß in dem שָׂטַם die Bethätigung des
שָׂנֵא in der stärksten Weise zu suchen sey; dasselbe ergiebt sich aus
Vergleichung der Stellen Hi. 16, 9 u. 30, 21; in der ersteren
sind Ausdrücke der Wuth gehäuft: „sein Zorn zerreißt mich, er
knirscht mit seinen Zähnen gegen mich, וַיִּשְׂטְמֵנִי", wo das bloße
Hassen zu schwach wäre, und in der anderen heißt es geradezu
„mit der Stärke deiner Hand תִּשְׂטְמֵנִי". Auch das nom. מַשְׂטֵמָה
steht Hos. 9, 7 von der heftigsten Befeindung Gottes, und wir
sind genöthigt, es in dem unmittelbar folgenden Verse ebenso zu
fassen, nicht in der Bedeutung von Schlinge, als ganz parallel
dem vorausgehenden פַּח, obschon es richtig ist, daß حَبْل „fes-

feln, binden" bedeutet; es liegt in מַשְׂטֵמָה nur die gewaltfame Bedrängung und Einengung, nicht sowohl die liftige Überwindung. Ziehen wir nun das hier näher liegende שָׂטַן in Betracht, so bietet es sich uns mehrmals in den Pfalmen in gleicher Bedeutung dar: Pf. 38, 21 u. 109, 4, wo von der ungerechten Widervergeltung in der gewaltsamen Behandlung eines Schuldlosen die Rede ist; in dem letzteren Pfalme B. 20 u. 29 finden wir auch die Pluralform des Particips von den Widersachern, die als die graufamsten Verfolger des Leidenden geschildert werden; aber felbst שָׂטָן zeigt sich uns B. 6, obwohl nicht הַשָּׂטָן, wie er nachher in der Chronik, dem Buche Hiob, und beim Propheten Sacharja zum Borschein kömmt. Dennoch aber erscheint er an diefer Stelle, wenn auch nicht als „der", doch als „ein Ankläger", als ein gehäffiger Widersacher vor Gericht. Der schwer Beleidigte wendet sich mit seiner Bitte an Gott, er möge über seinen Feind einen Ungerechten (רָשָׁע) im Gericht bestellen, und „ein Widersacher (שָׂטָן) möge demselben zu seiner Rechten stehen", gerade wie Sachar. 3, 1 vom Satan berichtet wird, daß er zur Rechten des Hohenpriesters Josua den Platz eingenommen. So scheint in der gerichtlichen Sprache der Widersacher des Angeklagten den Namen שָׂטָן geführt zu haben. Diefer Name findet sich aber noch an anderen Stellen nur in seiner allgemeinen Bedeutung. In der Geschichte Bileams begegnen wir ihm, wo erzählt wird, daß der Engel Jehovas sich jenem als Satan entgegengestellt, לְשָׂטָן לוֹ, und es läßt sich hier nicht von ferne daran denken, daß der מַלְאַךְ יְהֹוָה sich für Bileam in den Satan verwandelt habe, ebenso wenig als er in diesem Zusammenhange als ein Ankläger gelten kann; das Wort bezeichnet sicher nur Einen, der dem Andern hemmend, und seinem Fortgehen sich widersetzend in den Weg getreten (Num. 22, 22). Eher könnte man sich versucht fühlen, 1 Kön. 5, 18 den Satan wenigstens zu merken, wenn auch nicht bestimmt zu sehen. Salomo in seiner Botschaft an den König Hiram, wegen des beabsichtigten Tempelbaues, läßt

5

diesem sagen, daß Jehova ihm nun zu diesem schon von seinem Vater beschlossenen Werke die nöthige Ruhe verliehen; rings-herum Frieden und פֶּגַע רָע וְאֵין שָׂטָן אֵין, „kein Satan und keine schlimme Plage". Da es im Buche Hiob der Satan ist, der über diesen die Plagen verhängt, so möchte es scheinen, als ob Salomo in dem gebrauchten, fast sprüchwörtlich klingenden Ausdruck auch auf ihn angespielt habe, aber, genau genommen, sagt er nicht: „der Satan", und in dem שָׂטָן אֵין würde dann die Voraussetzung mehrerer Satans gegeben seyn, was wenigstens im Widerspruche zu der Lehre von „dem Satan", הַשָּׂטָן, stände. Wir fassen da-her jene Worte Salomos am vorurtheilfreiesten und einfachsten nur so, daß er dankbar gegen Gott gerühmt, keinen Widersacher im Kriege zu haben, und von keiner Plage im Frieden, etwa Hungersnoth oder Seuche, heimgesucht zu seyn. So steht denn auch bestimmt שָׂטָן in demselben Buche der Könige von einem Feinde, den Jehova dem Salomo erweckt, Cap. 11, 14 in der Person Hadads, des Edomiters, und B. 23 Resons, des Sohnes Eljadas, der auch ein Widersacher Israels blieb, so lange Salomo lebte (25). Ebenso finden wir schon 1 Sam. 29, 4 שָׂטָן gebraucht, wo die Fürsten der Philister fürchten, der von dem Könige Achis aufgenommene und unter seinem Schutze in Ziklag wohnende Da-vid werde, wenn es zum Kampfe mit den Israeliten komme, ih-rem eigenen Herrn „בַּמִּלְחָמָה לְשָׂטָן" werden. Werfen wir aber zuletzt noch einen Blick auf die Stelle 2 Sam. 19, 23, wo David unwillig, daß ihn die Söhne Zerujas verhindern wollen, dem Schimei das Leben zu schenken, ausruft: „was habe ich mit euch zu schaffen, daß ihr mir heute לְשָׂטָן werdet", so gewinnen wir auch hier nur in diesem Namen die Bedeutung eines Widerspre-chers und Widersachers. Es bleiben uns demnach nur noch drei Stellen übrig, in denen allein, aber auch wirklich der Satan als eine bestimmte Persönlichkeit erscheint: im Prologe des Buches Hiob 1, 6 u. fl. 2, 2 u. fl.; Sach. 3, 1. 2 u. Chron. 2, 1. Fas-sen wir vor allem Natur und Wesen des διάβολος, wie der Ale-

randriner הַשָׂטָן überſetzt, ſcharf in's Auge, ſo machen wir zuerſt
ſeine Bekanntſchaft, wie er plötzlich in die heilige Schaar der vor
Gott verſammelten Engel, welche durch den Namen בְּנֵי־הָאֱלֹהִים,
„Söhne des Gottes" ausgezeichnet werden, hineintritt. Auf die
Frage Jehovas: „von wo kömmſt du her"? antwortet er „von
einem Streifzug auf der Erde, von einer Wanderung auf derſelben". Das verb. שׁוּט, welches er gebraucht, hat 2 Sam. 24,
2. 8 ſicher die Bedeutung des das Land Durchziehens, um etwas
auszukundſchaften; David giebt dort dem Joab den Auftrag, zum
Zwecke einer Volkszählung alle Stämme Iſraels zu durchſtreifen
(שׁוּט) und dieſelben zu muſtern. Ebenſo gebietet auch Jeremia
(5, 1) שׁוֹטְטוּ בְחוּצוֹת „durchſtreifet die Straßen von Jeruſalem", um einen Einzigen zu finden, der Recht thut. Der Prophet Amos, wo er die dürre Zeit verkündet, in der das Volk nach
dem Worte Gottes hungern werde, bedient ſich gleichfalls des
יְשׁוֹטְטוּ לְבַקֵּשׁ „ſie ſtreifen umher, zu ſuchen das Wort" (8, 12).
Sacharja (4, 10) nennt herrlich die Augen des Wächters im Himmel מְשׁוֹטְטִים בְּכָל־הָאָרֶץ, wie auch dieſer Ausdruck 2 Chron.
16, 9 vorkömmt. Bei Daniel endlich ſteht das יְשֹׁטְטוּ (12, 4)
gerade ſo von dem Durchforſchen des Buches, wie wir unſer
„Durchlaufen" gebrauchen. Aus der Vergleichung aller dieſer
Stellen geht unzweifelhaft hervor, daß der Satan nicht müſſig
auf der Erde umhergewandelt ſeyn, ſondern in einem beſtimmten
Auftrage, und zwar Jehovas ſelbſt, ſeinen Streifzug gemacht
haben werde, da immer das verb. mit dem Zwecke des Suchens
und Forſchens in Verbindung geſetzt wird. In dem Geſpräche
Gottes mit Satan wird ja auch berichtet, daß Jehova ihn bevoll-
mächtigt habe, mit Allem, was Hiob gehöre, zu deſſen Prüfung
frei zu ſchalten, und man könnte ſogar nach der vorausgehenden
Frage: „haſt du auf meinen Knecht Hiob gemerkt"? die Vermu-
thung hegen, Gott habe ihm ſchon früher in Bezug auf denſelben
einen Auftrag gegeben, ihn wenigſtens zu beobachten. Wenn
wir daher auch weit davon entfernt ſind, den Satan zu einem

5 *

bloßen „Weltkundschafter", wie Mehrere gethan, zu machen, und ihn etwa gar in den Schatan nach einer Ableitung seines Namens von שׂטם zu verwandeln, so können wir doch nicht in Abrede stellen, daß er zunächst in jener Eigenschaft vor unsren Augen auftritt. Er ist keinesweges der leibhafte Teufel, das Haupt der Finsterniß, kein Herr, der „Fürst dieser Welt", sondern er ist ein Diener Gottes, der sich in die Zahl der guten Engel mischen darf, und den Jehova nicht aus ihrer Mitte weist; im Gegentheil Gott würdigt ihn einer Frage, und erkundigt sich bei ihm nach Hiob. Aber freilich er ist kein guter Geist, ein unter den „Gottessöhnen" fremdes, ja seinem Namen nach ihnen entgegengesetztes Wesen, er ist nicht bloß ein Widersacher, sondern der Widersacher vorzugsweise, und, wie wir gleich im Folgenden sehen, der Ankläger κατ' ἐξοχήν im himmlischen Gericht. Denn als Gott ihm seinen Knecht Hiob wegen seiner unvergleichlichen Frömmigkeit und Rechtschaffenheit gepriesen, klagt er diesen, als einen in Folge seiner Gottesfurcht Hoch = und Reichgesegneten des Eigennutzes an, und die Frage: „fürchtet auch umsonst Hiob Gott"? klingt und ist allerdings satanisch genug. Er glaubt an keine uneigennützige Frömmigkeit, und das stark betonte ואולם, „doch (11) — strecke nur deine Hand aus, und rühre an Alles, was ihm gehört, wahrlich! er wird dir in dein Angesicht den Abschied geben" — ist ganz des Satans würdig. Als ihm hierauf Gott Vollmacht über das ganze Besitzthum Hiobs, nur unter der ausdrücklichen Bedingung, daß er an ihn selbst nicht Hand anlege, gegeben, macht er der feindlichen Bedeutung seines Namens alle Ehre, und vollzieht seinen Auftrag meisterhaft. Nicht mit einem Male zerstört er Wohlstand und Glück des frommen Mannes, sondern nach und nach nimmt er dem Reichen, was ihm gehört, und macht ihn arm. Drei Schläge in immer verstärkterem Grade führt er gegen ihn, aber dabei in so rascher Aufeinanderfolge, daß während der eine Bote das geschehene Unglück Hiob verkündet, der andere schon wieder dazu tritt, um noch größeres Leid ihm zu berichten, und außerdem war der jedesmalige Überbringer der sprüchwörtlich gewordenen Hiobspost auch der nur allein Übrig= gebliebene, bloß deshalb verschont, damit er Unglücksbote sey; dieses wiederholte עוֹד זֶה מְדַבֵּר וְזֶה בָּא hebt die wahrhaft teuf= lische Berechnung in dem Ausführungsplane des Satan eindring= lich genug hervor. Auf das Glücklichste in der bösesten Weise ist es auch ausgedacht, daß die Söhne und Töchter Hiobs gerade ein festliches Mahl im Hause des Erstgeborenen begehen, als die Un= glücksfälle über ihn hereinbrechen, ja, daß während ihres fröhli= chen Zusammenseyns das Haus, von einem heftigen Wüstenwinde ergriffen, zusammenstürzt, und sämmtliche Kinder bis auf den Boten, der die letzte und furchtbarste Trauerkunde überbringen sollte, unter den Trümmern begraben werden. Erscheint nun auch hier der Satan immer nur als bevollmächtigter Diener Got= tes, und ist auch nicht die fernste Andeutung davon gegeben, daß er eine selbstständige Macht über den Sturm (19) und über das Feuer des Himmels (16) besitze, so zeigt er doch in der Voll= führung seines Werkes das bösartigste Wesen und Geschick, sowie die heilloseste Kunst. Dennoch aber feiert er keinen Triumph über die Treue Hiobs, und wir hören, nachdem er bei zwei Un= glücksbotschaften ganz geschwiegen, nach Vernehmung der dritten, obschon er in tiefster Trauer sein Kleid zerreißt und sein Haupt abscheret, keine Klage und nichts Anstößiges gegen Gott, sondern das größte Wort der demuthsvollen und freien Hingebung in des Allerhöchsten Willen, das im Alten Bunde ausgesprochen worden: „der Herr hat gegeben, der Herr hat genommen; der Name des Herrn sey gelobt"! Als daher bei der Wiederholung derselben Scene im Himmel, mit denselben Worten erzählt, Jehova in weitere Verhandlung über Hiob mit dem Satan tritt, darf er ihm sein böses חִנָּם (1, 9) mit einem anderen חִנָּם (2, 3) ver= gelten: „du hast mich gereizt", den „ohne Ursache" zu verderben, von dem du gesagt, daß er mich nicht „ohne Ursache" fürchte. Aber der Satan verzweifelt nicht an dem Gelingen seines Planes, den festen Knecht Gottes doch noch zum Falle zu bringen, und erinnert Jehova bei seiner weiteren Verdächtigung des Frommen an die menschliche Selbstsucht an ihrer reizbarsten Stelle. Er greift ihn an seinem eigenen Leibe und Fleische an, und indem er den Satz ausspricht: „Alles, was der Mann hat, giebt er für sein Leben", fügt er ein noch böseres אוּלָם hinzu, „doch — strecke nur deine Hand aus, und rühre ihn an seinem Fleische und Gebeine an, so wird er dir in dein Angesicht den Abschied geben". Hier tritt nun der teuflische Character des Satan noch besonders darin hervor, daß der, welcher an gar keine Aufopferung der Liebe, die Leib und Leben dahin geben kann, glaubt, im Allgemeinen doch eine Wahrheit über die menschliche Natur ausspricht, die aber wie Spott und Hohn in seinem Munde klingt. Diese Wahrheit wird jedoch gerade an Hiob zur Lüge, und dem „Geist, der stets verneint", und „ein Theil von jener Kraft, die stets das Böse will und stets das Gute schafft", wird die Rechnung gründlich verdorben. Denn nachdem er in Folge neuer Ermächtigung Gottes, Hiob nun an seinem eigenen Fleische zu versuchen, ohne jedoch seinem Leben Gefahr zu bringen, ihn mit den schmerzhaftesten Brandbeulen von der Fußsohle bis zum Scheitel bedeckt hat, und der unaussprechlich Leidende sogar von seinem eigenen Weibe gereizt wird, einem Gotte, der solche furchtbare Qualen auf ihn gelegt, vor seinem unvermeidlichen Tode zu entsagen, bleibt dennoch dessen Treue unerschüttert, und er versündigt sich auch nicht mit einem Worte; im Gegentheil, wir vernehmen abermals aus seinem Munde, indem er der Versucherin ihre gottlose Thorheit verweist, einen Spruch der lautersten und hingebendsten Frömmigkeit: „also das Gute wollen wir von Gott empfangen, und das Üble wollen wir nicht annehmen"? — Und als die drei Freunde, ihm ihr Mitleiden zu bezeugen, zu ihm gekommen, und er nach langem gegenseitigem Schweigen, endlich, von den unerträglichsten Schmerzen gefoltert, in die Verwünschung des Tages, der ihn geboren werden ließ, ausbricht, entfährt ihm noch nicht die leiseste Klage gegen Gott; erst nachdem die Freunde als Tröster, die sie seyn sollten, sich in Ankläger verwandelt, und gegen sein heiligstes, aber demüthiges Bewußtseyn eines vor Menschen schuld= losen und gerechten Wandels sein schweres Leiden als Folge schwe= rer Schuld in sich immer steigernder und verletzenderer Stärke ihm vorzuhalten nicht müde werden, läßt er sich zu einer kühnen Sprache über die Unbegreiflichkeit der göttlichen Vergeltung auf Erden, in dem Verhältnisse der Frommen zu den Frevlern, aller= dings hinreißen; aber er spricht doch nicht sowohl gegen Gott, als gegen seine Freunde in ihrem unverständigen und lieblosen Ur= theile über ihn, sowie in ihrer einseitigen Vertheidigung des Ge= rechten, und beugt sich zuletzt vor dem Geheimnisse der unburch= bringlichen Weisheit der Weltregierung. So stark auch einzelne Reden klingen mögen, in denen er sich bei der Verwundung seines Geistes durch die stechenden Worte der Freunde, und bei der Durchbohrung seines Fleisches durch die glühenden Schmerzen Luft macht, nimmermehr hat er die spöttische Vorhersagung des Satan „er werde endlich seinem Gott in's Angesicht den Abschied geben" erfüllt. In der glühendsten Feuerprobe des Glaubens er= hebt er sich zu der gewissesten Hoffnung, er werde dereinst noch von Gott in seiner Schuldlosigkeit gerechtfertigt werden; er weiß, daß sein Erlöser lebt. Und als Jehova zuletzt erscheint, weist er zwar Hiob auf die Schranken seiner Endlichkeit hin, indem er ihn vor die Wunderwerke der Schöpfung führt und ihn einen יִסּוֹר und מוֹכִיחַ nennt, der gewagt, mit dem Allmächtigen zu streiten, aber er krönet ihn doch seinen Freunden gegenüber, die er als Schuldige verurtheilt, mit dem Kranze des Siegers, dem keine höhere Genugthuung zu Theil werden kann, als daß er von dem gerechten Richter gewürdigt wird, ein Sühnopfer für die Beschäm= ten darzubringen. Hiob empfängt doppelt wieder, was er verlo= ren, und stirbt in einem hohen, vom Leben reich gesättigten Alter. Der Satan ist verschwunden und verstummt. — Werfen wir ihm aber noch einen Scheideblick zu, so erscheint er nach dem

Kunstplane unsres Buches mindestens in einem poetischen Lichte, obschon in der widerwärtigsten Gestalt. Der Schöpfer unsres philosophisch-poetischen Werkes ist jedenfalls der Erste, der einen שָׂטָן, einen Widersacher und Ankläger, durch das ה art. auszeich= net und ihn in den Schriften des Alten Bundes als eine bestimmte Persönlichkeit einführt. Auf Erden hat er ihn nicht gesehen, son= dern im Himmel. Aber sein Buch giebt sich durchaus als ein dich= terisches Werk zu erkennen; der Verfasser ist Poet, und nicht Prophet; eine Vision berichtet er nicht. Daher liegt es dem vor= urtheilsfreien Betrachter sehr nahe, den Satan Hiobs als eine poetische Figur zu fassen, gleich dem Mephistopheles in dem größ= ten Gedichte unserer Nation. Mir wenigstens ist dieses unzwei= felhaft: denn ich vermag es nimmermehr mit jenem dem Kerne des außerordentlichen Werkes einwohnenden hohen und reinen Geiste in Einklang zu bringen, daß der Verfasser desselben in Wahrheit an einen auf der Erde umherschweifenden Widersacher Gottes, der ihm aber dienstbar, geglaubt habe. Der, welcher „bis an die Enden der Erde blickt, der sieht was unter dem ganzen Himmel ist" (28, 24), sollte eines Kundschafters bedürfen, der nach dem Frommen spähen muß, und der, „in dessen Augen die Sterne selbst nicht rein, der seinen Heiligen Mangel beilegt" (4, 18), sollte einem schadenfrohen Diener das Geschäft der Prüfung und die Vollstreckung der Plagen seines Frommen übertragen haben, dessen Herz und Nieren er durchschaute? — Der Allmächtige und Allweise, wie ihn die Schlußreden des Buches mit einer Macht verkünden, die wir sonst nirgends vernehmen, sollte eines solchen schlechten Gehülfen in seinen himmlischen Veranstaltungen und Ausführungen benöthigt seyn? — Der Heilige (6, 10) sollte wirklich zum Satan gesagt haben: „du hast mich verführt וַתְּסִיתֵנִי, ihn ohne Grund zu verderben" (2, 3)? So hätten wir aber, um einen Widerspruch aus dem Wesen Gottes selbst herauszu= heben, diesen in den Dichter unsres Buches hineingetragen, woll= ten wir anders nicht unsere bis jetzt festgehaltene Überzeugung von der künstlerischen Einheit des Werkes aufgeben, und den Prolog mit aus diesem Grunde einem anderen Verfasser zuschreiben. Aber der erzählende Eingang wie der Ausgang des Buches ist uns zum Verständniß der Wechselreden Hiobs durchaus unentbehrlich; das herrliche dramatische Kunstwerk verwandelt sich mir wenigstens dann nur in ein Bruchstück lyrischer Poesie. Eher würde ich daher immerhin den dogmatisch-philosophischen Widerspruch stehen lassen, als die Kunstvollendung des ganzen poetischen Wunderbaues zerstören. Aber jener Widerspruch ist auch weder in dem Glauben, noch in der Philosophie des Verfassers vorhanden, sondern er liegt in dem Dichter, der sich dessen bewußt ist, aber in der freien Bewegung seines schöpferischen Geistes sich von ihm ebenso wenig beschränken ließ, als der unsrige, der auch in seinem tiefsinnigen Gedichte, nach dem Vorbilde des alttestamentlichen, Gott mit Mephistopheles über Faust verhandeln läßt, obgleich aus seinen religiös-philosophischen Bekenntnissen keinesweges hervorgeht, daß er wirklich an den Teufel, wenigstens an den, welchen er selbst geschaffen, im Ernste geglaubt habe. Zur Freiheit des Dichters gehörte, sich selbst die Veranlassung, wie es zugegangen, daß der durch seine Frömmigkeit, sein Glück und schweres Leiden berühmte Hiob solch' eine harte Prüfung habe über sich ergehen lassen müssen, bilden zu dürfen, und er machte von derselben einen so geschickten Gebrauch, daß der vorbereitend-erzählende Eingang nicht nur in der äußeren Form eine epische Vollendung bekam, sondern er erhob auch dadurch, daß er die Bildungs- und Entwickelungsgeschichte des unverschuldeten Leidens des Frommen bis zu ihrem begründenden Anfang und Vorgang im himmlischen Rathschlusse verfolgt, seinen Helden zu einer wahrhaft tragischen Persönlichkeit; er prägte so erst seinem Gedichte den Character eines dramatischen auf, das nun in der Entfaltung aller drei Dichtungsarten, der dramatischen in dem Begriff, der epischen in der Erzählung, der lyrischen in der unmittelbar frischen Bewegtheit, in dem Ergusse des Gefühls, die Be-

wunderung aller Zeiten geworden, und die Wahrheit seines didac-
tischen Zweckes in der vollkommensten Schönheit erfüllt hat. Die
ganze und volle Wahrheit, welche der Weise unsres Buches in
lebendiger Vergegenwärtigung und poetischer Veranschaulichung
lehren wollte, erhalten wir erst dann, wenn wir den Prolog, die
Wechselreden zwischen Hiob und seinen Freunden, und den Epilog
zusammenfassen; so nur begreifen wir auch die Nothwendigkeit der
Einführung des Satans. Sehen wir bloß auf den mittlern Haupt-
theil des Stücks, ergiebt sich uns als der einzige Zweck des hoch-
erleuchteten Dichterweisen, die Grundlehre des Alten Testaments
von der Vergeltung des heiligen und gerechten Gottes in das hellste
Licht der Wahrheit zu stellen, und dieselbe von beschränkter und
liebloser Auslegung zu reinigen, dergestalt, daß er zeigt, wie das
Leiden des Menschen nicht immer als Strafe begangener Schuld
betrachtet werden dürfe, sondern auch in der geheimnißvollen Weisheit Gottes seinen unerklärbaren Grund haben könne; zur Ent-
deckung dieser trostvollen Wahrheit läßt der psychologisch-fein be-
rechnende Dichter seinen leidenden und mit Zweifel im Glauben,
aber nicht am Glauben an Gott ringenden Helden zuletzt zur Be-
schämung der einseitig urtheilenden Freunde selbst gelangen. Aber
er will für sich noch etwas Höheres offenbaren, was er auch theil-
weise in den Reden Elihus hindurchblicken läßt: daß auch der
Frömmste durch Leiden geprüft, immer noch höher geläutert und
erprobt werden müsse, und diese Lehre stellt er im Prologe voran.
In dem Epilog aber, der zum Abschlusse der Geschichte nicht fehlen durfte, fügt er hinzu, daß die Prüfung der leidenden und ge-
duldig ausharrenden Frömmigkeit ihr zuletzt zu einem verdoppel-
ten Lohne gereiche. So tröstet der Dichter in dem von ihm er-
kannten Berufe, Verkündiger der göttlichen Wahrheit zu seyn,
die Frommen der leidenden Menschheit in seinem unvergleichlichen
Lehrgedicht; aber er hat darin auch noch ein Wort mit den Bösen
zu reden, zu denen er die Freunde nicht rechnet, die nur auf eine
kurzsichtige und verkehrte Weise zur Kränkung des Schwerleiden-

den für Gott eifern. Den Bösen will er beweisen, daß es nicht nur eine beharrliche Frömmigkeit im Leiden, sondern auch eine uneigennützig = demüthige in den Tagen des Glückes gebe. Sie hören wir in der verdächtigenden Anklage Hiobs: „fürchtet er auch Gott umsonst? hat er nicht ihn, und sein Haus, und Alles, was ihm gehört, ringsherum wie mit einem schützenden Zaune sichernd umhegt? Das Werk seiner Hände hat er gesegnet, und seine Heerden breiten sich im Lande aus" (1, 10). Als ihren Vertreter braucht er den Satan, nicht, wie man gewöhnlich meint, nur aus dem Grunde, um das Böse, das Hiob widerfährt, nicht unmittelbar von Gott ableiten zu müssen: denn hier gilt vor dem folgerichtigen Denken, das wir dem scharfen Verstande des großen Dichters nicht werden absprechen dürfen, kein Unterschied von un= mittelbar und mittelbar; in dieser Rettung der Heiligkeit Gottes würden wir den Begriff seiner allmächtigen Weisheit schwächen; die sogenannte Zulassung von Seiten Gottes ist und bleibt eine dürftige und ungenügende Auskunft. Es verhält sich vielmehr damit so, daß das, was Hiob erfährt, nur in dem Sinne des Bösen ein Böses ist, und in dem Willen desselben zu einem solchen werden soll; in den Augen Gottes ist das Leiden Hiobs ein Gu= tes und wird für ihn zu einem Guten; als Böses im Satan wird es vereitelt; das אֲרָ ist Nichtigkeit und Lüge. Das wußte unser Weiser auch, daß der allmächtige Gott nicht auf den Vorschlag des Satan einzugehen benöthigt gewesen, um seinen Zweck mit Hiob zu erreichen. Wenn er ihm daher den Auftrag giebt, die Plagen über Hiob zu verhängen, so kömmt es dem Dichter dabei nur dar= auf an, den Widersacher und Ankläger in seinem schadenfrohen Wesen zu zeichnen, und wenn er das oben erwähnte anstößige Wort: „du hast mich verführt, ihn ohne Grund zu verderben" zum Satan spricht, so können wir dieses im Bewußtseyn Gottes nicht als Wahrheit, sondern nur als Ironie betrachten. Die mil= dernde Umsetzung des הֵסִית in „Verleiten", oder „Reizen" kann nichts helfen: denn nach der buchstäblichen Auffassung des starken

Wortes und nach der Beobachtung des Erfolgs hat Satan Gott nicht bloß zum Verderben Hiobs gereizt, sondern er hat ihn wirklich dazu gebracht, den frommen Knecht mit Plagen zu belegen. Der Satan, in dem früheren Nachasch versteckt, wäre dann in der That an Macht bedeutend gewachsen; er hätte nicht den Menschen, sondern Gott selbst verführt. Viel weniger das Ansehn Gottes gefährdend wäre es gewesen, wenn er, entsprechend der Rolle, welche die Schlange im Paradiese übernommen, an das Weib Hiobs herangetreten wäre und es etwa in den Worten angeredet hätte, die dieses zum Manne spricht. Nehmen wir aber jenes וַתְּסִיתֵנִי nur vom Standpuncte Satans aus in der besagten Weise gesprochen, so sinkt er zu einem bloßen Verläumder, Ankläger und dienenden Vollstrecker eines ihm wohlthuenden, schlimmen Geschäftes herab. Er ist freilich immer noch böse genug, und in seinem Verhältnisse zu Gott, vor dessen Thron er erscheinen darf, ein so räthselhaftes Wesen, daß wir nach seiner Herkunft genauer zu fragen gedrungen sind. Allerdings ist er Theil von jener geheimnißvollen Macht, die, wie wir bereits gesehen, einen dunklen Schatten in das Licht des Paradieses warf. Von dem Glauben an das Vorhandenseyn einer solchen Macht giebt der Verfasser unsres Buchs Zeugniß, und wir haben keinen Grund zu bezweifeln, daß dieser Glaube seine eigene Überzeugung gewesen. Daß aber in der subjectiven Dogmatik desselben, wenn wir so sagen dürfen, die Einzelperson in einer bestimmten Verkörperung des Bösen vorgekommen, läßt sich wenigstens nicht beweisen, und ist mindestens sehr unwahrscheinlich. In Moses und den Propheten hat er sicher den Satan nicht vorgefunden, ja, nicht einmal einen Satan, was merkwürdig genug ist; nirgends heißt es in den Reden der Propheten: „hütet euch vor dem Satan", und in den mosaischen Schriften wird der Teufel niemals citirt, was doch zu erwarten gewesen, wenn er in der Glaubensüberlieferung des Volks seine Stelle gehabt. Der Name שָׂטָן freilich war ihm sicher bekannt, wie wir ihn im Sprachgebrauche für Widersacher im

Allgemeinen und für Ankläger im Gericht gefunden. Am geeig=
netsten für seine Verwandelung eines Satan in den Satan bot
sich ihm die Stelle Pf. 109, 6 dar, in welchem Liede überhaupt
der Inhalt sich um das שָׂטָן dreht, und der Dichter im schärfsten
Gegensatze zu V. 6 so schön und versöhnlich mit den Worten
schließt: „Gott wird zur Rechten des Armen stehen". Der Psalm
wird David zugeschrieben, und so verschieden auch das Urtheil
über die Abfassungszeit unsres Buches ist, kein Kritiker wird wohl
gegenwärtig bei der muthmaßlichen Festsetzung derselben seinen
vordavidischen Ursprung behaupten wollen. Man hat freilich von
manchen Seiten dem David diesen Psalm abgesprochen, und be=
sonders aus dem Grunde, daß der sonst so edle und großmüthige
Sänger nicht so heftige Verwünschungen über seine Verfolger habe
ausstoßen können. Aber dieser Grund bleibt immer nur eine
Voraussetzung, und warum sollte der Kriegesheld, von einem
heftigen Gemüthe gegen seine Feinde bewegt, bei aller sonstigen
Stille der Seele vor dem himmlischen Freunde, seinem Felsen und
seiner Burg, obschon er in der Verschonung des wehrlos in der
Höhle schlafenden Saul, der ihm als Gesalbter des Herrn eine
unantastbare Persönlichkeit war, einen des frommen Knechtes
würdigen Edelmuth bewies, nicht auch in den stärksten Worten
die Strafe des Gerechten über seine heimtückischen Widersacher ha=
ben erflehen können? Und zugegeben, es liege ein unverkennbarer
Widerspruch in diesem Psalm mit anderweitigen Äußerungen Da=
vids hier vor, so hat ja auch die Geschichte im Leben desselben
sich bestreitende Gegensätze keinesweges verdeckt. Sollte aber auch
der fragliche Psalm David nicht selbst angehören, so folgte daraus
immer nicht, daß er in eine spätere Periode zu verlegen sey; in=
dessen ist er so beschaffen und die Sprache verräth so wenig eine
nachdavidische Färbung, daß die Kritik keine geeignetere Persön=
lichkeit als Verfasser des Liedes ausfindig wird machen können,
als gerade David, der wie selten einer von Gewalt und Hinter=
list bedrängt war. Jedenfalls läßt sich der Beweis nicht führen,

daß unser Lied später als das Buch Hiob entstanden, und wenn
dieses doch der Fall seyn sollte, so ist es mir wenigstens, vorausgesetzt, daß der Dichter jenes gekannt, nicht wahrscheinlich,
daß er הַשָּׂטָן, sondern vielmehr הַשָּׂטָן יַעֲמֹד עַל־יְמִינֹו geschrieben
haben werde. Und so muß es uns immerhin gestattet seyn, soweit
man überhaupt in solchen kritischen Dingen mit Zuversicht schließen darf, den Dichter Hiobs aus dieser Quelle bei der Bildung
seines Satans wenigstens mitschöpfen zu lassen. Jedenfalls bedürfen wir zu seinem Verständniß nicht der Herbeiziehung eines
Einflusses aus der Fremde, von Persien her: denn wenn wir auch
eine solche Miteinwirkung des Parsismus auf die Gestaltung der
späteren jüdischen Dämonologie und Satanalogie nicht verkennen,
so möchte sich wohl kaum ein Kritiker geneigt erklären, unser
Buch nach seinem Ursprunge so tief herabzurücken, wo eine solche
Einwirkung möglich gewesen, oder es gar um des Satans willen
in die letzte Periode der hebräischen Literatur zu verlegen. Höch-
stens könnten wir nur einen leisen Anfang einer Berührung mit
der Persischen Lehre annehmen, wenn wir aus anderen Gründen
es wahrscheinlich finden, daß der Dichter am Ende des Exils ge-
lebt und ein poetischer Genosse des großen Propheten Jes. 40—
66 gewesen, der des Koresch auf das Ehrenvollste gedenkt, aber
freilich gerade einen Gott mit Entschiedenheit bekennt, der „bildet Licht und schaffet Finsterniß" (45, 7). Daher gehen wir weit
sicherer, wenn wir unsren Dichter auf dem Grunde des alttestamentlichen Bewußtseyns vom Bösen zur Personification desselben
in der Eigenschaft dieses Satans, wie er ihm zum Zwecke und
Plane seines Gedichtes dienlich war, gelangen lassen.

Wenn oben bemerkt wurde, wir müßten es auffallend finden, daß die Propheten vom Satan keinen Gebrauch gemacht,
und zwar weder dogmatisch, noch ethisch und auch nur bildlich, so
hatten wir dabei schon eine Ausnahme im Sinne, aber nur eine
einzige, im dritten Capitel Sacharjas V. 1 u. fl. Hier begegnen
wir dem Satan, seinem Hauptzuge nach, wie bei Hiob. Der

Prophet schaut in einer Vision den Hohenpriester Josua, „stehend vor dem Engel Jehovas, und der Satan stand zu seiner Rechten, ihn anzufeinden" d. i. anzuklagen, לִשְׂטְנוֹ; und es sprach Jehova zum Satan: „es dräue Jehova dir, Satan! und es dräue Jehova dir, er, der erwählet hat Jerusalem"! Es ist also abermals eine gerichtliche Verhandlung, in welcher der Satan das Amt des Anklägers verwaltet. Er steht zur rechten Seite Josuas, wie auch in der oben angeführten Psalmstelle, aus der dort hervorgeht, daß der Ankläger ein Übergewicht über den Angeklagten haben soll: denn der zur Rechten hat einen Vorrang vor dem zur Linken. Wirklich erscheint auch der Hohepriester, als Vertreter des heiligen Volkes, im Folgenden mit schmutzigen Gewanden bekleidet, welche das Sinnbild der Verunreinigung der Heiligung, der Schuld, sind. Aber der Satan, obgleich er dieses Mal wirklich Grund zur Anklage hat, wird doch zu Boden geschlagen. Der Engel Jehovas, offenbar Schutzengel des Volks, den der Prophet als Stellvertreter Gottes in seiner ganzen Machtvollkommenheit einführt, so daß er ihn als Jehova selbst zu Satan sprechen läßt: „es dräue Jehova dir, Satan", bedient sich gegen ihn in dem גָּעַר des stärksten Ausdrucks der Beschwichtigung des sich gegen den Allmächtigen auflehnenden Trotzes und Widerstands, wie dieses verb. steht, wenn der Herr dem aufwogenden Meere oder dem Getümmel der Heiden Ruhe gebietet (Ps. 106, 9; Jes. 17, 13 u. a. St.). Und der Satan, der vor diesem dräuenden Worte des göttlichen Mundes weichen muß, erleidet eine noch schmählichere Niederlage als bei Hiob: denn Hiob hatte keine schmutzige Gewande an, aber Josua, und doch befiehlt Jehova „der einmal Jerusalem erwählet hat, den Brand, den er herausgerissen aus dem Feuer", seinen Engeln, ihm jene auszuziehen und ihm Feierkleider anzulegen. Jehova spricht: „sieh' ich lasse vorübergehen vor dir deine Schuld", und vor diesem Worte der Gnade muß der Satan fliehen. Fragen wir aber, wie er in unser Buch hereingekommen, so ließe sich bei seiner ausgemacht späten Entstehung im perfischen Zeitalter, da wir überdieß die Engelslehre bedeutend, etwa nur mit der in den Visionen Ezechiels verglichen, erweitert finden, hier von Parsismus reden; indessen nothwendig bedürfen wir dieser Annahme auch jetzt nicht einmal: denn der Satan Sacharjas ist ganz der Hiobs, und wir dürfen keinen Anstand nehmen, unsere Überzeugung dahin auszusprechen, daß der Prophet dem Dichter seinen Ankläger entlehnt und nach seiner freien Symbolik von ihm einen sinnbildlichen Gebrauch gemacht. Darin könnten wir wenigstens auf allgemeine Zustimmung rechnen, daß der des Buches Hiob, in welche Zeit es auch versetzt werden möge, nicht nach den Visionen Sacharjas gedichtet worden. Es ist aber wieder auch bei unsrem Propheten bemerkenswerth, daß der Satan nur eine rasch vorübergehende Erscheinung ist, wie wir denn auch in den spätesten Schriften überall dieselbe Beobachtung machen. — Die Stelle im zweiten Buche der Chronik 21, 1 bleibt uns noch allein übrig. Der Satan wird aber hier ganz kurz abgethan. Zwar erscheint שָׂטָן ohne Artikel, „Satan stellte sich hin gegen Israel", aber es ist nicht von ferne zu bezweifeln, daß es der Widersacher vorzugsweise sey, dessen Bekanntschaft wir bei Hiob und Sacharja gemacht haben. Es wird hier dieselbe Begebenheit erzählt, die wir 2 Sam. 24, 1 u. fl. finden. David läßt sich gegen den Willen Joabs und der anderen Heerführer in seinem Übermuthe verleiten, eine Volkszählung anzubefehlen, und dieses wird von dem Berichterstatter so aufgefaßt, daß Jehova, um noch fernerhin Grund zum Zorne gegen Israel zu haben, David zu jener Verordnung bestimmt habe; es steht aber im Texte das schon besprochene starke וַיָּסֶת, welches auch der Chronist wiederholt, nur mit dem Unterschiede, daß er, um den Anstoß, den er daran nahm, zu beseitigen, nicht Jehova, sondern den Satan zum Subject macht. Diese Verschiedenheit in der Auffassung der persönlichen Einwirkung auf das Herz Davids ist von Bedeutung, und es läßt sich zur Hinwegräumung des Widerspruches nimmermehr die Ausflucht vertheidigen, daß der Verfasser der Bücher

Samuels stillschweigend auch an den Satan gedacht habe; er
würde dann von ihm gewiß genannt worden seyn. Es geht viel=
mehr aus einer unbefangenen Betrachtung der beiden Parallelstel=
len unzweideutig hervor, daß dem offenbar älteren Erzähler jener
Geschichte der Satan des jüngeren, und sehr späten, gar nicht
bekannt war. Wir tragen kein Bedenken anzunehmen, daß der
Chronist ihn dem Hiob entlehnt habe; aber dogmatisch ist diese
Einführung des Versuchers auch nicht hochanzuschlagen: denn er
gedenkt desselben in seinem ganzen Buche mit keinem Worte mehr,
während er ihn, nach diesem Anklange an unserer Stelle, z. B.
in der Bathsebas = und Uriasgeschichte, die er freilich mit Still=
schweigen übergeht, gar wohl hätte gebrauchen können.

Obschon wir hier darauf angewiesen sind, den sonst zu
vermeidenden Satan zu suchen, vermögen wir ihn mit aller Mühe
an keinem andren Orte des A. T. mehr aufzuspüren. Es fragt
sich aber, ob wir ihm nicht irgendwo noch unter einem andren
Namen begegnen. Da scheint sich uns in der Erzählung 1 Sam.
16, 13 u. fl. ein Gegenfüßler des Geistes Gottes, der, nachdem
Samuel den David gesalbt, sich auf diesen, von Saul gewichen,
herabließ, in dem רוּחַ רָעָה מֵאֵת יהוה, welcher nun den Vorgän=
ger Davids plötzlich überfiel, darzustellen. Die Knechte Sauls
rathen dem König einen geschickten Citherspieler ausfindig zu ma=
chen; der werde durch sein Spiel den bösen Geist zu bannen wis=
sen. Hierauf wird der Sohn Isais, berühmt durch seine Kunst,
herbeigeholt, und wirklich, wenn er die Saiten vor dem Ge=
plagten rührt, wird es diesem weit und wohl in der Seele. Dieser
böse Geist Gottes ist aber hier nicht außer Gott, kein selbstständ=
big ihm entgegentretendes Wesen, sondern er ist bei ihm und
kömmt aus ihm רוּחַ אֱלֹהִים; מֵאֵת יְהוָה רָעָה; er heißt nicht nur,
sondern (B. 23) geradezu רוּחַ אֱלֹהִים. Da nun die Vereinba=
rung eines guten und bösen Geistes in dem heiligen Gott schlech=
terdings unmöglich ist, so kann in den auffallenden Worten kein
anderer Sinn liegen, als daß der Geist Gottes, der in Saul an

6

die Stelle des guten tritt, in seinem Gemüthe zu einem bösen wird, zu einem solchen, der ihn in eine krankhafte Aufregung versetzt; er ist eine Kraft der übelsten Wirkung, die Jehova zur Strafe in die Seele des Königs sendet, in welcher Form und Beschaffenheit sie sich auch geäußert haben möge. Es verhält sich damit nicht anders, als wenn auch sonst Gott Einzelnen oder dem ganzen Volke Seuche, Pest oder Schlangen, welche die Schuldigen stechen sollen (Jer. 8, 17), zuschickt. Wir können auch hier an die mehrfach mißverstandene Stelle Jes. 45, 7 erinnern, wo es heißt: „Ich bilde Licht und schaffe Finsterniß, mache Frieden und schaffe Böses: ich Jehova thue Alles dieses". Der Eine (אֶחָד) Gott, den gerade dieser Prophet mit außerordentlicher Stärke und Freudigkeit als das reinste, nie zu verdunkelnde Licht des Lebens und der Liebe predigt, schafft nur Finsterniß, aber er ist nicht Finsterniß, er ist nicht böse, sondern schafft nur Böses d. i. Übles: Heil geht allein aus ihm hervor, Unheil kömmt von ihm als bittere Arzenei, die er bereitet, je nachdem der Mensch sich zu ihm stellt.

Die Stelle 1 Kön. 22, 21 u. fl. gehört gleichfalls hieher, nur daß רוח hier wirklich zum הָרוּחַ wird. Wir lesen daselbst die Geschichte, nach welcher der Prophet Micha gegen das Zeugniß von vierhundert Propheten in Israel, welche den verbündeten Königen Ahab und Josaphat einen glücklichen Feldzug gegen Ramoth in Gilead vorhergesagt, das Mißlingen dieser Unternehmung verkündet. Er erzählt, wie er in einem Gesichte Jehova auf seinem Throne und um ihn rechts und links die himmlischen Heerschaaren geschaut. Der Herr habe gefragt: „wer will Ahab überreden, daß er hinaufziehe und falle zu Ramoth Gilead, und der Eine habe so, der Andere so geredet". Da sey der Geist aus der Reihe hervorgetreten (וַיֵּצֵא), und, indem er sich vor das Angesicht Jehovas gestellt, sich erboten, den König zu überreden. Auf die weitere Frage Gottes, wie und wodurch er dieß zu bewerkstelligen gedenke, erklärte er, er wolle ausgehen und zu einem

Lügengeiste in dem Munde aller jener Propheten werden, worauf Jehova gesagt: „überrede, und du sollst es auch vermögen; zieh' aus und thu' also". Und dieses habe sich nun wirklich erfüllt: der Herr habe den Geist der Lüge in den Mund der Propheten, welche den König zum Streite gegen Ramoth gerathen, gelegt und „Böses gegen ihn geredet". Wir dürfen vor allem nicht unbeachtet lassen, daß wir es hier, wie bei Sacharja, wieder mit einer Vision zu thun haben, deren Symbolik zu einer eigenthümlichen Form der prophetischen Mittheilung gehört. Sind wir auch weit entfernt, dieselbe zu einem Erzeugniß der Willkür rein äußerlicher Einkleidung aus künstlerischer Reflexion zu machen, sondern gerne bereit, dem unmittelbar schauenden Vermögen sein psychologisch begründetes Recht und seine unmeßbare Tiefe zuzuerkennen, so können wir doch nimmermehr dem vom Propheten erzählten Vorgange im himmlischen Rathe, wie er in Schrift verzeichnet vor uns liegt, hermeneutisch betrachtet, buchstäbliche Realität beilegen, und sind bei diesem Bekenntniß der Zustimmung auch der gläubigsten Theologen gewiß, die sich im Orient umgethan und nicht ganz vergessen haben, daß das Alte Testament, seiner heiligen Originalität unbeschadet, in ihm entstanden und nach seinem menschlich-geschichtlichen Ursprunge seine östliche Abkunft nicht verleugnet. Lösen wir nun auch hier aus der sinnbildlichen Darstellung den Hauptgedanken heraus, so ist er kein anderer, als der, daß Gott den Geist der Wahrheit, den die Propheten verkünden sollen, in den falschen, die ihn verleugneten, zu einem Geiste der Lüge zu ihrer und Ahabs Züchtigung gemacht, so daß sie den König täuschten und durch ihre Vorspiegelung einer gelingenden Eroberung zu Falle brachten. Es gilt hier von neuem das tiefsinnige Wort des Psalmisten (18, 26), das er an den Gott der unüberwindlichen Weisheit richtet: „mit dem, der krumme Wege geht, windest du dich". Aber der Geist der Wahrheit selbst kann in dem Gott der Wahrheit nie zur Lüge werden. Daher läßt Micha die falschen Propheten durch eine besondere Mittelsperson hintergehen, welche an den Satan Hiobs erinnert. Es fällt sogleich auf, daß nach der Frage Gottes, die er an die ihn umstehenden Geister richtet, „wer wird den Ahab verleiten"? wobei sich eine Meinungsverschiedenheit darüber herausstellt, Einer hervortritt, der nicht unbestimmt רוח, sondern הרוח genannt wird, und sich mit Entschiedenheit erklärt: „ich will ihn verleiten". Von den anderen himmlischen Dienern wird er jedenfalls unterschieden und durch das ה art. ausgezeichnet; ein besonders guter Geist ist er auch nicht: denn er hat Lust an Täuschung und Verführung. Er scheint auf der Seite der Opposition zu stehen und „zur Linken zu gehören", und es ist wenigstens immerhin bemerkenswerth, daß es nicht heißt: „das ganze Heer des Himmels stand vor Gott", sondern ausdrücklich hervorgehoben wird „von seiner Rechten und Linken". Man darf überdieß die Worte „ich will ausziehen und zu einem Lügengeiste werden", streng genommen, nicht so erklären, daß ein Geist, an sich gut, sich in einen Lügengeist verwandeln wolle: denn er kann, wenn er von der Wahrheit ist, sich nicht in das Gegentheil verkehren; er würde sonst vor Gottes Thron den sittlich unter allen Umständen verwerflichen Grundsatz vertreten, daß der Zweck das Mittel heilige, und der Geist hörte dann auf ein guter zu seyn. Und so ist es nicht zweifelhaft, daß wir in dem Buche der Könige an den Satan Hiobs erinnert werden, und in einem gewissen Sinne den Ansatz zu seiner Bildung in dem הרוח entdecken: denn wäre das letztere Buch schon vorhanden gewesen, als das erstere geschrieben ward, so würde der Verfasser desselben höchst wahrscheinlich den dort bestimmten Namen des bösen Geistes geradezu in das seinige herübergenommen haben, und da kein bestimmter Grund vorliegt, die dem Micha in den Mund gelegte Rede diesem abzusprechen, so könnte vor ihm Hiob nicht entstanden seyn. Aber, wie aus guten Geistern, die der gute Gott doch nur allein hat schaffen können, böse geworden, Widersacher des Schöpfers, und unter ihnen Einer Ankläger und Verführer vorzugsweise, darüber giebt we=

der unsere Stelle, noch irgend eine andere im A. T. auch nur die geringste Auskunft. Denn Gen. 1, 2, wenn man daselbst von einer Seite her die Verwüstung und Veröbung als eine positive Verstörung der bereits vorausgegangenen Wohlordnung der Erde, in Folge des Falles eines Theiles der geschaffenen Engel betrachten will, vermag ich wenigstens zur Enträthselung des Geheimnisses in diesem Sinne nicht zu verstehen, und es bleibt dabei in meinem Denken ein תֹּהוּ וָבֹהוּ. Und ebenso wenig bietet mir in dieser Beziehung zum Verständniß die Stelle Gen. 6, 2 u. fl., wo die Söhne Gottes sich zu den von ihnen schön gefundenen Töchtern des Adam herablassen, den Geist Jehovas verfleischlichen, und die נְפָלִים und גִּבֹּרִים auf Erden erzeugen: denn wenn wir auch dem kurz vorüberwehenden mythischen Anklange dieser Stelle ein historisches Gewicht beilegen wollten, so bliebe ja das immer unerklärbar, wie es gekommen, daß Wesen, welche בְּנֵי־הָאֱלֹהִים genannt werden, sich mit dem Fleische des Menschen zu vermischen das Gelüste haben konnten. Die Stelle endlich Jes. 14, 12 wird wohl gegenwärtig kein Ausleger mehr im Ernste herbeiziehen wollen, um zu beweisen, daß in dem vom Himmel herabgesunkenen Morgensterne, mit welchem der Prophet den König von Babel vergleicht, der aus Hochmuth gefallene Satan zu finden sey.

Von dem gespenstischen Gelichter, das nach dem Aberglauben des Volks in Wüsten hauset, kann zuletzt noch hier gar nicht die Rede seyn; die שְׂעִירִים Jes. 13, 21, die auf den Ruinen Babels herumspringen, sind überdieß in dem Kreise der Eulen, Strauße und Schakale, die dort aufgezählt werden, gewiß nur widerlich behaarte Thiere, und erst der Alexandriner verwandelt sie in δαιμόνια; ob aber der Prophet (Jes. 34, 14) an das herumschweifende Nachtgespenst לִילִית, das in der schauerlichen Einöde Edoms seine rechte heimathliche Ruhe finde, wirklich geglaubt habe, können wir füglich dahin gestellt seyn lassen, müssen es aber sehr bezweifeln. Sie geht uns so wenig hier etwas an, wie der Ἀσμοδαῖος des Tobias. Ja, selbst wenn עֲזָאזֵל (Lev. 16, 8. 10

u. f. w.) ein Dämon oder gar der Teufel, wie der מַלְאַךְ der Thargumiſten, wäre, dem der Sündenbock in die Wüſte zugeſchickt würde, was aber nicht ausgemacht iſt, er bliebe für uns immer nur ein einſames, luftiges Geſpenſt in leerer Öde, das im A. T. unter dieſem Namen nirgends erſcheint und weder im Geſetz noch in den Propheten dogmatiſch Fleiſch und Blut gewinnt.

Faſſen wir nun noch einmal, was wir aus den Schriften des Alten Teſtaments über die Sünde, das Böſe und den Böſen vernommen haben, in Kürze zuſammen, ſo ſtellt ſich uns unver-kennbar heraus, daß nach der vorherrſchend ethiſch-praktiſchen Richtung heiliger Schrift der Nachdruck auf der Sünde als ſol-cher allein liegt. Empfangen von der böſen Luſt wird ſie gebo-ren als Kind des Unrechts in der That des Abfalls von Gott, und iſt dieſe in der Übertretung des Gebotes des Schöpfers und in der Störung ſeiner heiligen Ordnung vollbracht, tritt ſie als Lüge hervor. So erſcheint die Sünde ſchon im Paradieſe. Fortgepflanzt von Vater und Mutter als Hang zum Böſen auf das adamitiſche Geſchlecht erſchreckt ſie uns beim erſten Schritt aus dem Garten Gottes als vollkommen ausgewachſene finſtere Geſtalt, und ſtiftet unter den erſten Brüdern Eines göttlichen und Eines menſchlichen Vaters Neid und Mord. Zur vollendeten Selbſtſucht ausgebildet, offenbart ſie ſich ſchon im babyloniſchen Thurmbau als Hochmuth, wird zur Verthierung in ſcheuslichen Thaten der Unzucht, und in gänzlicher Gottvergeſſenheit endend, bringt ſie mit Ausnahme der rein gebliebenen Noachiden, dem ganzen erſten menſchlichen Geſchlechte den Tod, der auch in dem erwählten Volke des Bundes als Sold der Sünde, die ſelbſt den hochbegnadigten, mit den zehn Worten des Lebens betrauten Mann Gottes, Moſes, befleckt, Schrecken verbreitend einherſchreitet. Und ſo iſt es beſonders die Folge der Sünde, die Schuld, und ihre Büßung, die Strafe, deren mächtige Hervorhebung verhältnißmäßig den weiteſten Raum einnimmt. Die Sünde tritt als Scheidewand zwiſchen Gott und dem Menſchen (Jeſ. 59, 2); ſie verhüllt ihm in ihrer Finſterniß das lichte Antlitz des Heiligen; sie erweckt, von Stufe zu Stufe steigend, als selbstsüchtige Feindschaft gegen ihn, seinen Zorn, und aus dem Zorne folgt nothwendig die gerechte Strafe der Schuld, der Strafe Höchstes aber ist der Tod.

Wir gelangen aber zu keinem vollkommenen Verständniß über den alttestamentlichen Begriff der Sünde, wenn wir sie nicht, so zu sagen, von dem Feuer des göttlichen Zornes beleuchten lassen. Aber man erschrickt vor dem Zorngotte des Alten Testaments, und Viele schmähen oder verschmähen es wenigstens deshalb; selbst gute Christen stoßen sich an demselben, und indem sie den Spruch im Munde führen, daß die Liebe die Furcht austreibe, gehen sie scheu vor ihm vorüber, als könnte ihr evangelischer Glaube von den Gluthen, die vom Sinai herab fahren, versengt werden. Als ob nicht auch die ὀργή τοῦ θεοῦ, das nothwendige ἀπαύγασμα der δικαιοσύνη, im Neuen Bunde brennte, und es überhaupt einen lebendigen, heiligen Gott der Gerechtigkeit ohne einen freilich heiligen Zorn der Liebe geben könnte! — Allerdings hat der Zorn Gottes im A. T. schon nach seiner mehr orientalischen Ausdrucksweise ein viel sinnlicheres Gepräge, wie die Wörter אַף, חָרוֹן, זַעַם, קֶצֶף, עֶבְרָה beweisen, als im N. T., in dem das von den Propheten verheißene Licht der Gnade in dem vollen Glanze der Erfüllung erschienen. Aber wenn wir auch die Nase Gottes anthropomorphistisch und ihr Schnauben anthropopathisch fassen, so ist doch der lebendige Athem der geistigen Bewegtheit der Persönlichkeit des Heiligen keine bloß sinnbildliche Bezeichnung. Das ist natürlich auch im Bewußtseyn des Dichters absichtlich=starke Vermenschlichung, wenn es von Gott heißt: „es steige Rauch auf in seiner Nase, Feuer fresse aus seinem Munde, und Kohlen loderten aus ihm" (Ps. 18, 9).

Der Gott, der über Sodom und Gomorrha Schwefel und Feuer vom Himmel regnen ließ, den Abraham, als er unter den unzählbaren Sternen des nächtlichen Himmels des Bundes mit ihm gewürdigt ward, zwischen den beiden Hälften des dazu ge-

schlachteten Opfers als einen rauchenden Ofen und eine Feuer=
flamme hindurchfahren sah (Gen. 15, 17), der dem Moses in dem
brennenden aber nicht verbrennenden Busche erschien (Ex. 3, 2),
und bei der Gesetzgebung auf Sinai unter Donner und Blitz im
Feuer herabgestiegen, daß der ganze Berg rauchte, wie ein Ofen,
und bebte (19, 18), der als Wolken = und Feuersäule vor seinem
Volke einherzog in der Wüste (13, 21 u. s. w.), leuchtet in dem
Feuer=Symbole seines Zornes durch das ganze Alte Testament;
die Geschichtschreiber bezeugen es, und die Propheten und heiligen
Dichter reden und singen davon in feurigen Zungen. „Siehe!
der Name Jehovas kömmt von ferne, brennend sein Zorn, und
gewaltig der aufsteigende Brand, seine Lippen sind voll Grimms,
und seine Zunge wie fressendes Feuer; erschallen läßt Jehova sei=
ner Stimme Pracht, und das Niedersteigen seines Armes läßt er
sehen in des Zornes Grimm und der Flamme fressendem Feuer,
in Fluth und Regen und Hagelsteinen; der Athem Jehovas, gleich
einem Schwefelbach, setzt in Brand den Holzstoß" (Jes. 30, 27.
30. 33). Ja, Jehova „dein Gott", sagt Moses, „ein fressendes
Feuer ist Er, ein eifriger Gott" (Deut. 4, 24). „Aber wer
kann doch wohnen bei dem fressenden Feuer, wer kann doch woh=
nen bei den ewigen Gluthen"? (Jes. 33, 14), und derselbe Pro=
phet, der so fragt und Jehova vorzugsweise „den Heiligen von
Israel" nennt, beantwortet sogleich die Frage: „wer wandelt in
Gerechtigkeit und Geradheit redet, wer der Bedrückungen Gewinn
verwirft, wer seine Hand losschüttelt, Bestechung zu ergreifen,
wer sein Ohr verstopft, von Blut zu hören, und verschließt seine
Augen, Böses zu sehen" (V. 15). Und der Prophet des Unter=
gangs von Ninive, welcher Gott sogar einen קנא nennt, einen
Rächer (Nah. 1, 2), seinen Weg in Sturm und Wetter gehen
läßt, daß die Berge vor ihm beben und die Hügel zerschmelzen,
der gleichfalls fragt: „vor seinem Grimm — wer wird bestehen?
und wer sich erheben bei der Gluth seines Zornes? — sein Zorn
ergießt sich wie Feuer, und die Felsen werden vor ihm ausge=

riſſen" (V. 6), preißt ihn zugleich als den „langmüthigen und großen von Kraft" (V. 3). Ja, dieſer בְּצַל חֵמָה, der ſeinen Zorn uber Sodom, weil auch nicht zehn Gerechte ſich darin fanden (18, 32), Alles zerſtörend ausgegoſſen, erbarmt ſich jener großen Sün= denſtadt des Aſſyriſchen Königs, weil ſie ſich bekehrt, und „in der mehr denn hundert und zwanzigtauſend Menſchen, die nicht zu unterſcheiden wiſſen zwiſchen Rechts und Links, und viele Thiere" (Jon. 4, 11), zur tiefſten Beſchämung des Propheten, der das Geheimniß der göttlichen Gnade, das Licht der Liebe in dem Feuer des Zornes, nicht erkannt. Aber die heilige Liebe Got= tes wäre nicht das reinſte Licht, wenn ſie nicht dem widerſpenſti= gen und unbußfertigen Sünder gegenüber zum brennenden Feuer würde: „das Licht Israels wird zum Feuer und ſein Heiliger zur Flamme" (Jeſ. 10, 17); das Feuer, an ſich rein und Symbol der Reinigung (Jeſ. 6, 7), iſt in dem gerechten Gotte „wie Feuer des Schmelzers und Reinigers des Silbers" (Mal. 3, 3), das rein ausſchmilzt die Schlacken von dem Silber (Jeſ. 1, 25; 42, 13). Dieſes läuternde Zornfeuer Gottes wird eben in der קִנְאָה für ſein auserwähltes Volk (Jeſ. 9, 6) am deutlichſten erkannt, wo es ſich gegen ſeine Feinde von Außen, die גוֹיִם, wendet, wenn dieſe, ſtatt Israel in ſeinem Auftrage zu züchtigen, es zu unter= drücken und zu vernichten im Sinne haben (Jeſ. 8 gegen den Aſ= ſyrer), aber auch die Dornen und Diſteln, die in ſeinem Wein= berge wachſen, nicht verſchont: denn es kann nicht genug betont werden, daß der Gott des Bundes, der kein Anſehn der Perſon kennt, unausgeſetzt die Vollführung ſeines heiligen Rathſchluſſes im Auge hat, ſich ein heiliges Volk zu erziehen und einen heiligen Staat in ihm zu gründen. Es ſollte ſich doch von ſelbſt verſte= hen, daß in der קִנְאָה des Gottes, der ſich קָדוֹשׁ nennt und für die Herausarbeitung eines reinen Zion (Jeſ. 1, 27) aus den Schla= cken der ſündigen Welt, eines heiligen Samens זֶרַע קֹדֶשׁ (Jeſ. 6, 13) und Reſtes שְׁאָר (Jeſ. 10, 20. 21. 22), „großen Eifer ei= fert", damit Jeruſalem „Stadt der Wahrheit" und der Berg Je=

hovas Zebaoth „Berg der Heiligkeit" (Sach. 8, 2. 3) werde, auf dem „die Wurzel Isais zu einem feststehenden Panier der Völker sich erhebe, nach dem die Heiden fragen sollen" (Jes. 11, 10), auch nicht der geringste Schatten menschlicher Leidenschaft, nach der sie sich in „Eifersucht" und „Neid" verkehrt, mitgedacht werden dürfe. „Denn Gott bin ich", sagt er, „und nicht ein Mensch, der Heilige in deiner Mitte" (Hos. 11, 9). Mit diesem einzigen Worte ist der Anstoß, den man vielfach an den sogenannten Anthropomorphismen und Anthropopathismen genommen, mit deren Schale man häufig den dahinter verborgenen Kern eines wahrhaft lebendigen, mit unermeßlichem Verstande denkenden, und dem reinsten Herzen fühlenden Gottes, als eines wirklich persönlichen, hinweggeworfen und dafür nur den abgezogenen, todten Begriff einer Gottheit zurückbehalten, ein für alle Mal beseitigt. Es gilt auch in diesem Sinne das tiefe und schöne Wort Hoseas: „an Menschenbanden zog ich sie, an Liebesseilen" (11, 4). Gott, auch im Zorne, läßt sich in Liebe zu den Menschen herab, um die gefallenen zu sich emporzuziehen; er wird unter Menschen zum Menschen, und hat gewollt, daß auch die heilige Schrift in menschlicher Rede von dem Heiligen rede; sie selbst ist an diese „Menschenbande" in den Darstellungen seines unvergleichbaren und wunderbaren Wesens zur möglichsten Faßbarkeit desselben nun einmal gebunden, aber sie hat es nicht an Winken fehlen lassen, um das Bildliche vom Wesenhaften zu unterscheiden, und obenan steht auch für die Hermeneutik das Gebot: „du sollst dir von Gott nicht ein Bild noch irgend eine Abbildung machen" (Er. 20, 4), und das Wort des Propheten: „wem wollt ihr mich vergleichen, daß ich ähnlich sey, spricht der קדוש", der von allem Unreinen in ewiger Heiligkeit Geschiedene (Jes. 40, 25). Aber noch mehr als an dem Zorne Jehovas, nimmt man an der Rache, נקמה, נקם, die ihm beigelegt wird, ein Ärgerniß. Er selbst sagt (Deut. 32, 35) לי נקם, und (Jes. 1, 24) אנקמה מאויבי; Ps. 94, 1 redet der Dichter

ihn zweimal אל־נקמות an, indem er nach seiner Erscheinung zum
Gerichte verlangt. Indessen genügen schon diese ausgehobenen
Stellen in ihrem Zusammenhange vollkommen, um sich über den
reinen Begriff der göttlichen Rache in's Klare zu setzen. Sie
erhält ihr Verständniß aus dem unverbrüchlichen Gesetze der Wie=
dervergeltung und Genugthuung, weshalb auch in der angeführ=
ten Stelle (Deut. 32, 35) nach נָקָם noch וְשִׁלֵּם folgt, und eben=
so heißt es Pf. 94, 2: „erhebe dich, Richter der Erde, bringe
Vergeltung über die Stolzen"! Die Rache besteht bei dem Men=
schen in der dem beleidigten Gerechtigkeitsgefühle entsprechenden
That der Wiedervergeltung zur Wiedererstattung. Aber wenn es
auch heißt: „Zahn um Zahn, Auge um Auge" (Er. 21, 24),
was im Gesetze in Bezug auf die Gefährdung der Person und der
ihr zu gewährenden Sicherheit policeilich zu verstehen, so ver=
bietet doch die alttestamentliche Ethik die Selbstrache auf das Ent=
schiedenste: „sprich' nicht, ich will Böses vergelten, harr' auf Je=
hova, und er wird dir helfen" (Spr. 20, 22); sie gebietet dafür,
„feurige Kohlen auf des Feindes Haupt zu sammeln" (26, 21. 22),
und Lev. 19, 18 heißt es bestimmt: „du sollst nicht Rache nehmen
und nicht bewahren den Zorn an den Söhnen deines Volks, son=
dern du sollst lieben deinen Nächsten, wie dich selbst: Ich bin
Jehova". Der Jehova, der dieses Gebot gegeben, kann dem=
nach nicht selbst ein rachgieriges Wesen seyn, sondern er ist ein
Solcher, „der uns nicht nach unseren Sünden thut, und uns
nicht nach unseren Vergehungen vergilt" (Pf. 103, 10). Das
deutsche Wort der menschlichen „Rache" hat hier viel Misverständ=
niß erregt. In dem hebräischen נָקָם, gewiß mit נָחַם verwandt
(vgl. Gen. 27, 42, wo מִתְנַחֵם geradezu für מִתְנַקֵּם steht, und
beide verb. zusammen Jes. 1, 24), nur von stärkerer Bedeutung,
liegt die heftigste, durch starkes Aufathmen sich kundgebende Ge=
müthsbewegung, während in dem milderen נָחַם mehr das leben=
dige Gefühl der Betrübniß des Mitleidens und der Reue ausge=
drückt ist. Die Rache als die stärkste Äußerung der beleidigten

Gerechtigkeit gehört dem heiligen Richter der Welt, der stolzen, unbeugsamen Vermessenheit und schreienden Ungerechtigkeit gegenüber, nothwendig, insonderheit dem Schützer seines in seinen Rechten gekränkten, gemißhandelten Volks; die נְקָמָה kömmt der קְאָה zu, und läßt sich von Jehovas unverletzbarer Heiligkeit nicht trennen. In dem allgemeinen Begriffe der eifernden Gerechtigkeit ist der besondere der geforderten Genugthuung, Wiedervergeltung und Wiedererstattung eingeschlossen. Damit hängt schon die gewöhnliche Construction des verb. נָקַם in Bezug auf die Person, an der man sich rächt, zusammen; es steht mit מִן verbunden. Jehova sagt: אִנָּקְמָה מֵאוֹיְבַי (Jes. 1, 24) „ich will mich rächen von meinen Feinden" d. i. mich rächend das von ihnen wiedernehmen, was sie mir genommen. Bei dieser energisch hervordringenden Lebendigkeit des schwer verletzten Gerechtigkeitsgefühls darf man sich nun nicht verwundern, wenn gerade in diesem Bereiche die auffallendsten Vermenschlichungen des zur Vergeltung an den Feinden seines Volks einherziehenden Gottes der Rache vorkommen; eine der angefochtensten steht Jes. 63, 1 — 4, wo nach vollbrachtem יוֹם נָקָם der Prophet fragt: „wer ist der, der von Edom kommt, in hochrothen Kleidern von Bozra? Er, schwellend in seinem Gewande, sich streckend in der Fülle seiner Kraft? — Ich, der redet in Gerechtigkeit, mächtig, zu helfen. Warum ist roth dein Gewand, und deine Kleidung wie des Keltertreters? — Die Kufe trat ich, Ich allein, und von Völkern war Niemand mit mir. Und ich trat euch nieder in meinem Zorn, und zerstampfte sie in meinem Grimm, daß ihr Saft an meine Kleider spritzte, und ich all' meine Gewande besudelte. Denn ein Tag der Rache war in meinem Sinn, und das Jahr meiner Erlösung war gekommen". Und doch finden wir diese Stelle in einem der herrlichsten Bücher von dem Grundwesen der ewigen Liebe und Gnade Gottes. Wie aber der Zorn und die Rache Gottes nur aus dem Mittelpuncte seiner heiligen, lebendig=eifrigen, und thätig=vergeltenden Liebe begriffen werden können, so ist es auch bei seiner שׂנְאָה, seinem Hasse, der Fall. Gerade in der heilig=eifrigen Liebe ist der Haß nothwendig begründet. Es giebt freilich am häufigsten einen unsittlichen Haß, aus der schlimm=sten persönlichen Selbstsucht stammend; es ist der natürliche Haß des Bösen gegen den Guten: „der Frevler knirscht wider den Ge=rechten mit den Zähnen" (Pf. 37, 12). Umgekehrt hassen aber auch die Guten die Bösen, und sie können nicht anders, ja, sie müssen und sollen sie hassen; denn das Licht hat und darf keine Gemeinschaft haben mit der Finsterniß. Daher auch die vielen Frommen anstößigen Feindespsalmen, und die zur Characteristik des ganzen Psalters trefflichen Worte des Dichters: „Lobeserhe=bungen Gottes in ihrer Kehle, und zweischneidige Schwerter in ihrer Hand, Rache zu üben an den Heiden, Züchtigungen an den Völkern" (Pf. 149, 6. 7) sind sehr dem Misverständnisse aus=gesetzt. Aber es gilt hier das Bekenntniß eines andren Psalmi=sten: „sollt' ich deine Hasser, Herr, nicht hassen, und an deinen Widersachern Abscheu haben? — Mit vollem Hasse haff' ich sie, zu Feinden sind sie mir" (Pf. 139, 21. 22). Es ist also nicht die verletzte Eigenliebe des Frommen, die ihn zum Hasse treibt, sondern die entheiligte Gottesliebe; der Gegner ist sein Feind, weil er Gottes Feind ist. Dabei pflegt man gewöhnlich zu erin=nern, daß allerdings der Haß des Bösen, insofern es an Perso=nen hafte, sittlich geboten sey, aber auf diese selbst dürfe er sich nicht erstrecken. Dieses versteht sich aber auch im A. T., das ausdrücklich, wie wir gesehen, die Rache verbietet, von selbst; die שׂנְאָה darf nie zur נְקָמָה, ja sie soll zur אַהֲבָה werden, und feurige Kohlen auf des Feindes Haupt sammeln. Darf doch Hiob von sich rühmen, daß er sich nicht „des Unglücks seines Hassers gefreut, und frohlockt, wenn ihn ein Übel betroffen, und er sei=nem Gaumen nicht gestattet, zu fündigen, in einem Fluche seine Seele zu verwünschen" (31, 29. 30). Aber das Böse, das ge=haßt werden soll, kömmt doch nun einmal in und an den Bösen zur Erscheinung; sie sind das eingefleischte Böse, und es ist zur Be=

kämpfung des Reiches des Bösen eben so nothwendig, die Bösen zu hassen, als es bei einer von der falschen Liebe unklaren Auseinanderhaltung der Gesinnung und der Person zu einer unsittlichen Lauheit und Stumpfheit führt. Luther hat als frommer Christ die Feindespsalmen aus Herzensgrunde mitgesungen, weil er Gelegenheit hatte, auch ihre neutestamentliche Wahrheit zu erfahren, und wenn man das viel gemißbrauchte „liebet eure Feinde, segnet, die euch fluchen" oft anführen hört, wo es gilt, das Gottlose in der Person des Gottlosen niederzuwerfen, so wäre der Lieblingsjünger des Herrn, der Evangelist der Liebe, und doch der Donnersohn, Johannes, auch für mundtodt zu erklären, ja Christus selbst mit sich im Widerspruche, wenn er sich eine Geißel aus Stricken macht und die Verkäufer aus dem Tempel treibt, den Wechslern das Geld verschüttet und ihre Tische umstößt (Joh. 2, 15), oder wenn er sagt, daß es dem, der irgend einen der Kleinen, die an ihn glauben, zum Abfall zu verleiten gesucht, gebühre, daß ihm ein großer Mühlstein an den Hals gehängt und er ersäuft werde in der Tiefe des Meeres (Matth. 18, 6; Marc. 9, 42; Luc. 17, 2). Das scharf lautende שָׂנֵא, das entschiedene Abstoßen des Unreinen von dem Reinen, dem sanften אָהֵב entgegengesetzt, gehört nun einmal zur sittlichen κρίσις. Der קָדוֹשׁ des A. T. muß das Böse hassen, sonst wäre er nicht die eifrige, heilige Liebe, aber freilich immer als Der, welcher gesagt: „Gott bin ich, und nicht ein Mensch". An die Scheinheiligen ergeht das Wort: „eure Neumonde und eure Feste hasset meine Seele" (Jes. 1, 14).

Es ist überhaupt kaum zu begreifen, wenn man einen guten Willen zum Verständniß voraussetzt, wie man nicht gerade durch die offenbaren Widersprüche in den alttestamentlichen Vorstellungen und Darstellungen von Gott, die in ihrem sinnlichen Gepräge nothwendig waren, um ihn als Menschen dem Menschen nahe zu bringen, zum reinen Begriffe desselben gelangen mochte. Gott kann nicht gesehen werden, es sey denn daß der Mensch sterbe (Ex. 33, 20), und erscheint doch dem Moses und spricht zu ihm: „Ich bin Der, der ich bin" (3, 14); er ist der Allgegen= wärtige (Ps. 139, 8 u: fl.) und wohnt doch im Himmel (Ps. 2, 4), durch die רָקִיעַ von der Erde fest geschieden; er ist der Allwissende, „dessen Augen an jedem Orte, und auf Böse und auf Gute schauen" (Spr. 15, 3), der „Alles sieht, was unterm Himmel ist" (Hi. 28, 24), „der hoch wohnet, und tief herabsieht auf das, was im Himmel und auf Erden" (Ps. 113, 6), und doch „hinab= geht und sieht" (Gen. 18, 21), ob das Gerücht über die Sünden Sodoms und Gomorrhas begründet sey; „er ist nicht Mensch, daß er etwas bereue" (1 Sam. 15, 29) und doch „reuet es ihn, daß er Saul zum Könige setzt" (11), ja, „es reuet ihn, daß er den Menschen gemacht" (Gen. 6, 6). Aber gerade diese letztere Stelle giebt uns über die vielgeschmähte Reue des alttestamentlichen Got= tes zunächst die deutlichste Aufklärung: denn wir dürfen in dersel= ben den noch folgenden Zusatz nicht übersehen וַיִּתְעַצֵּב אֶל־לִבּוֹ „und es schmerzte ihn in sein Herz hinein". Die Reue Gottes ist seine Betrübniß, wenn der menschlich = sündhafte Widerspruch dem göttlich = heiligen Rathschlusse der Liebe eigenmächtig Grenzen setzen will; hat doch das verb. נחם vorherrschend die Bedeutung „sich betrüben", wie auch im Altdeutschen „reuen" und „traurig seyn" identisch gebraucht werden. Obenan steht aber immer je= nes Wort: er hat nicht Reue, „wie ein Mensch". Man hüte sich indessen, die Reue an sich, das freie Zurücknehmen eines be= reits Beschlossenen aus dem lebendigen Wesen Gottes ausstreichen zu wollen, weil man sonst den Glauben an die Gebetserhörung (Ex. 32, 14) zur Lüge machen müßte, nach welchem doch „Gottes Wege nicht unsre Wege, und seine Gedanken nicht unsere Ge= danken" (Jes. 55, 9), und ihm, unbeschadet der Festigkeit seines Rathschlusses zur Erreichung des Einen Zieles, viele Mittel zu Gebote stehen, um mit Hintansetzung des einen durch die Wahl eines andern, in gleicher Weise zu seinem Zwecke zu gelangen. Denn er ist ein Gott der speciellsten Fürsorge, „der von seinem feſten Throne auf alle Bewohner der Erde hernieberblickt" (Pſ. 33, 14), und „ein Erhörer des Gebets" (Pſ. 65, 3).

Wenden wir uns nun der Gerechtigkeit Gottes, die ſich in ſeinem Zorne offenbart, beſonders zu, ſo bildet ſie inſofern, als er nicht bloß die abſtracte Wahrheit (אֱמֶת), ſondern auch das Leben (חַיִּים Jer. 10, 10), die Grundeigenſchaft ſeiner Offenbarung an die erſchaffene Welt. Der Gott des Alten Bundes iſt vorzugsweiſe der Gerechte (צַדִּיק). Der Bund mit dem Volke Iſrael ruhet auf der Gerechtigkeit; das Geſetz iſt die lautere Enthüllung der göttlichen Gerechtigkeit; in ihm iſt der Weg (דֶּרֶךְ) des Heiligen gewieſen, auf dem der Verbündete wandeln ſoll, und gerichtet wird, je nachdem er auf ihm bleibt oder von ihm weicht, und ſo Segen oder Fluch, Leben oder Tod zu erwarten hat (Deut. 28). Die Forderung des Gerechten an den Menſchen hat der Prophet Micha auf das Bündigſte ausgeſprochen (6, 8): „Er hat dir kundgethan, o Menſch, was gut, und was Jehova von dir fordert: nur Recht zu thun und zu lieben Güte, und in Demuth zu wandeln mit deinem Gott". Die Gerechtigkeit als in Gott ruhende Eigenſchaft, wie ſie Pſ. 89, 16 genannt iſt, wo es heißt: „Gerechtigkeit iſt die Grundveſte deines Thrones", מְכוֹן כִּסְאֶךָ, tritt gegen ihre hervorbringende Äußerung und heiligende Einwirkung auf das erwählte Volk zurück; ſie wird zur That und Thätigkeit; die Gerechtigkeit in Gott will und muß die Menſchen und zunächſt die im Bunde mit ihm Stehenden gerecht machen: im Geſetze liegt ihr Werk und ihre Wirkung durch die Lehre (תּוֹרָה). „Seine Gerechtigkeit iſt ewiges Recht, und ſein Geſetz Wahrheit" (Pſ. 119, 142), in welchem längſten Pſalme der nach Erleuchtung aus dem Geſetze ſtehende fromme Sänger die ganze unvergleichbare Herrlichkeit des Geſetzes, das beſſer iſt als Tauſende von Gold und Silber (V. 72), das ſüßer als Honig (V. 103) und Honigſeim, koſtbarer als Gold und gediegen Gold (V. 127; Pſ. 19, 11), das dem, der den göttlichen Geboten glaubt, gute Einſicht und Kunde lehrt (V. 66), verſtändiger macht, als die Älteſten (V. 100),

und das wahre Leben giebt (B. 110), in dem glänzendsten Lob=
preis desselben zusammengedrängt. Diese Gerechtigkeit im Gesetze
und durch das Gesetz wird zum entscheidenden Recht und Gericht,
מִשְׁפָּט, weshalb dieses Wort so häufig mit צֶדֶק und צְדָקָה ver=
bunden erscheint, auch wohl gleichbedeutend mit ihm gebraucht
wird, besonders im Plural, wo es geradezu den מִצְוֹת und חֻקִּים,
den Geboten und festen Satzungen entspricht, z. B. Er. 21, 1;
Lev. 18, 4. 5; Deut. 7, 12 u. s. w., obschon es immer in seiner
besonderen Bestimmtheit die nach Außen wirkende That in der
Vollziehung seiner Gesetzesgerechtigkeit durch richterliches Urtheil
bezeichnet, und daher selbst Strafe bedeutet, so daß es z. B. ein
Lieblingsausdruck Jeremias ist, „Gott rede mit seinem Volke
מִשְׁפָּטִים, Gerichte", er verhänge Strafen über dasselbe (1, 16;
4, 12 u. s. w.). So steht auch מִשְׁפָּט für das künftige Gericht
(Pred. Sal. 12, 14), aber selbst für die Erfüllung der תּוֹרָה durch
den von den Propheten geweissagten Knecht Gottes, den er zum
Bund des Volkes und zum Lichte der Heiden machen will (Jes.
42, 6), und der nicht ruhet und rastet, bis er auf Erden den
vollendeten Rechtszustand, מִשְׁפָּט gegründet (B. 4): „denn es
hat Gott um seiner Gerechtigkeit willen gefallen, groß zu machen
das Gesetz und herrlich" (Jes. 42, 21), mit welchem tiefen Worte
der Prophet des evangelischen Buches auf die Erfüllung des Ge=
setzes in der Gnade der Erlösung in dem neuen Bunde, von dem
er redet, hindeutet. Jehova ist צַדִּיק, sein Knecht ist צַדִּיק (Jes.
53, 11), und dieser Knecht als König, der in der Zukunft er=
scheinende Messias, ist vor allem der gerechteste Richter, dessen
Gürtel Gerechtigkeit und die Wahrheit (Jes. 11, 4. 5), und der
sein Reich durch Gerechtigkeit und Recht in Ewigkeit stützet (9, 6).
Suchen wir etymologisch den Grundbegriff der צְדָקָה in der Wur=
zel צדק, mit Vergleichung des arabischen صَدَقَ, so liegt er
in der Härte und Unbiegsamkeit eines Gegenstandes, weshalb im
geistigen Sinne das verb. die Bedeutung des „Wahr= und Treu=

7

feyns" bekömmt, und davon صَدِيق der Freund heißt, der sich
vor allem durch die Treue bewähren muß. So ist denn die צְדָקָה
als Eigenschaft Gottes die Beharrlichkeit in seiner Wahrheit, die
Unveränderlichkeit seines heiligen Grundwesens, und die Form
צֶדֶק verhält sich zu ihr so, daß diese die Bezogenheit der צְדָקָה
auf die Welt nach ihrer nothwendigen Kundgebung in der lebendigen That der Gerechtigkeit, die Abgezogenheit des Begriffs in
der Besonderung seiner hervortretenden Erscheinung ausdrückt
(vgl. Pf. 119, 142, wo beide Wörter unmittelbar neben einander
stehen, (צִדְקָתְךָ צֶדֶק לְעוֹלָם), wie es auf gleiche Weise bei
אֱמֶת und אֱמוּנָה der Fall ist, die mit צְדָקָה und צֶדֶק oft abwechselnd gebraucht werden. In dieser unerschütterlichen, sich
stets gleichbleibenden Festigkeit seines gerechten Wesens „kann da
Gott beugen (יְעַוֵּת) das Recht, kann er beugen die Gerechtigkeit"
(Hiob 8, 3)? „Ja, fürwahr Gott frevelt nicht, und der Allmächtige beugt nicht (לֹא־יְעַוֵּת) das Recht" (34, 12). Daher heißt
Gott auch im Gegensatze zu den Verdrehten und Gekrümmten,
den עִקְּשִׁים (Deut. 32, 5 und häufig), יָשָׁר, der „Gerade", wie
יֹשֶׁר und מֵישָׁרִים Recht, Rechtschaffenheit und Gerechtigkeit bedeuten (Hi. 6, 25; Pf. 119, 7; Pf. 99, 4 u. oft), und nach
seiner Festigkeit und Treue führt er den bildlich-treffendsten Namen „der Fels" (צוּר) (Pf. 18, 3, u. häufig), der „Fels Israels" (Jes. 30, 29), der, indem er sein Wort der Wahrheit erfüllt צַדִּיק (Neh. 9, 3. 8.), ist, הַנֶּאֱמָן (Deut. 7, 9), „der Feste,
der Treue", wie auch im N. T. πιστός mit δίκαιος verbunden
wird (1 Joh. 1, 9). Als Hauptstelle heben wir dafür Deut. 32, 4
hervor: „Er ist der Fels, vollkommen seine That: denn alle seine
Wege sind Recht; Gott der Wahrheit ist er, und keine Abweichung in ihm; gerecht und gerade ist er". Demnach ist die Gerechtigkeit Gottes kaum eine Eigenschaft zu nennen, sondern sie
bedingt und bildet den innersten Urgrund seines absoluten Fürsich-
feyns in seiner unverrückbaren ethisch-vollkommensten Beständig-

keit; durch die צְדָקָה ist der ewige, allmächtige Schöpfer Himmels und der Erde erst der rechte und wahre Elohim, der lebendige und treue Gott des Bundes mit seinem Volke, in dem Alle
durch die Gemeinschaft mit ihm selbst צַדִּיקִים werden sollen, der
Jehova, der da ist, der er ist, aber auch „der Richter der ganzen
Erde, der Gerechtigkeit übt" (Gen. 18, 25). Aber die Gerechtigkeit, die in der lebendigen und treibenden Willensbewegtheit
des Geistes Gottes sich in der Welt und in der Schöpfung seines
Volkes offenbaren muß, von der das Alte Testament in der Nach-
weisung der ewigen und unbeugsamen Vergeltung (שִׁלֵּם Deut.
32, 35, גְּמוּל Jes. 36, 4) voll ist vom Anfang bis zum Ende,
und die nach ihrer reinsten Wahrheit in keiner Urkunde herrlicher
beschrieben ist als bei Ezechiel im 18. Capitel, sie läßt sich von
seiner Heiligkeit nicht trennen. Sie ist der Geist der göttlichen
Gerechtigkeit, in der sie sich offenbaret. Jehova der Herr, der
Lebendige, Ewige, Allmächtige, Allweise, Allwissende und All-
gegenwärtige, ist erst der wahre Gott als der קָדוֹשׁ, wie ihn
Jesaja vorzugsweise nennt. „Heilig, heilig, heilig ist Jehova
Zebaoth, voll ist die ganze Erde seiner Herrlichkeit" (6, 3).
Ein höheres Lied wissen die Seraphim im himmlischen Tempel
nicht zu singen. Als König der Herrlichkeit (Ps. 24, 7—10),
dem nur allein כָּבוֹד gehört (Jes. 42, 8; 48, 11), welches
Wort den Schwergehalt seines ganzen ihm eigensten Wesens in
der Zusammenfassung aller seiner Eigenschaften, nach ihrer in sich
ungetheilten Offenbarungsfülle, bezeichnet, heißt er nicht bloß קָדוֹשׁ
als der von der Welt Geschiedene, der Persönliche, sondern als
der aller Unreinheit und Sündhaftigkeit unbedingt Entzogene, der
Gute (Neh. 1, 7), dem Jesaja, „als ein Mann unrein von Lippen, und wohnend unter einem Volk unrein von Lippen" zu na-
hen sich scheuet (Jes. 6, 3 u. 5). Er muß als צַדִּיק der verderb-
ten Welt entgegentreten; er ist nicht nur קָדוֹשׁ וְצַדִּיק, sondern
als קָדוֹשׁ, der „bei seiner Heiligkeit schwört" (Am. 4, 2) und
„dessen Thun in Heiligkeit" (Ps. 77, 14), der צַדִּיק, und es gilt

7 *

hier vor allem das nicht genug zu wiederholende Wort des Propheten „der heilige Gott erweiset sich heilig in Gerechtigkeit" (Jef.
5, 16); die Gebote Gottes sind אִמְרֵי קָדוֹשׁ (Hi. 6, 10), und die
Thaten seiner Hände sind Wahrheit und Recht (Pf. 111, 7); kein
Mensch ist rein (יִטְהַר) vor Gott (Hi. 4, 17), ja, „seinen Heiligen (Engeln) traut er nicht, und die Himmel sind nicht rein in
seinen Augen" (Hi. 15, 15); als der Heilige zieht er aus zum
Gericht, „kömmt von Theman und vom Berge Pharan; es deckt
den Himmel seine Pracht, und sein Ruhm erfüllet die Erde"
(Hab. 3, 3): denn er ist als der קָדוֹשׁ auch „der Große und
Furchtbare", גָּדוֹל וְנוֹרָא (Pf. 99, 3), der im sittlich=heiligsten
Sinne wahrhaft majestätische Weltgott, der Unvergleichbar=per-
sönliche, von dem es heißt: „wem wollt ihr mich vergleichen,
daß ich ähnlich sey, יֹאמַר קָדוֹשׁ" (Jef. 40, 25), und darum als
der עֶלְיוֹן über alle von den Menschen erdachte und von Menschen-
händen gemachte Götter, als der Allein=wahre erhaben ist, der sich
nur durch seine neue, zunächst im alten Bunde gegebene Offenbarung wieder kundgegeben, den die Weisheit Ägyptens und Chal-
däas nicht erkannte, und den weder Homer noch Sophocles, weder Plato noch Aristoteles aus selbsteigener Denkkraft als den
Heilig=Persönlichen ergründen konnten. Der Heilige von Israel,
der im Himmel wohnet (יֹשֵׁב בַּשָּׁמַיִם Pf. 2, 4; 123, 1), und
den die Himmel der Himmel nicht fassen (1 Kön. 8, 27), hat sich
von seiner unerreichbaren Höhe herabgelassen, in einem von Men-
schenhänden gebauten Tempel seinen Namen wohnen zu lassen und
im Allerheiligsten (קֹדֶשׁ קָדָשִׁים) desselben zu thronen. Daß er
aber als der קָדוֹשׁ über der רָקִיעַ, die das jenseitige Oben von
dem diesseitigen Unten scheidet, (הַיֹּשֵׁב עַל־חוּג הָאָרֶץ) (Jef. 40, 22;
Hi. 22, 14), sich in seiner erhabenen Seligkeit, dem „die Welt
gehört und was sie füllt und der keinen Mangel kennt" (Pf. 50,
11), nicht selbstgenügen kann, davon liegt der Grund in dem
tiefsten und höchsten Geiste seines Wesens, in dem Drange seiner
Herablassung (עֲנָוָה Pf. 18, 36), in seiner Güte (חֶסֶד), in seiner

Liebe (אַהֲבָה). Die Liebe Gottes ist keine Eigenschaft desselben, sondern sie ist sein Leben, und bildet den Mittelpunct seines ewigen Wesens der Weisheit und des Heiles (תּוּשִׁיָּה, welches Wort besonders im Hiob und den Sprüchen vorkömmt); Leben und Liebe sind in ihm eins, aber sie ist die heiligste Liebe, wie auch in unsrer Sprache Leben und Lieben im schönsten Wohlklange so tief vereinigt sind. An der hebräischen Wurzel haftet die Grundbedeutung des Wünschens, Wollens und Begehrens: denn אָהַב ist in seiner Verwandtschaft mit יָאַב (Ps. 119, 131), אָבָה und אָנָה nur die stehende Form des Worts für das Verlangen der Liebe. Die אַהֲבָה im menschlichen Verhältniß ist die Sehnsucht, sich mit einer in freier Wahl erkorenen Persönlichkeit in der Gemeinschaft der Liebe unauflöslich zu verbinden, und in diesem Sinne z. B. das begeisternde Hauptwort des Dichters des hohen Liedes (8, 6). Es gehört zu den verbreitetsten Vorurtheilen über und gegen das Alte Testament, daß seinem Gott der neutestamentliche Grundzug der Liebe fehle und er nur, oder wenigstens vorherrschend, der Gott der Gerechtigkeit sey; ja, man verwirft ihn sogar als den Gott des leidenschaftlichen Zornes und der Rache. Wenn aber auch der Johanneische Ausspruch „Gott ist die Liebe" (1 Joh. 4, 8. 16) nicht wörtlich so im Alten Testamente steht, und die ἀγάπη τοῦ θεοῦ als bestimmter Ausdruck אַהֲבַת יְהוָֹה nicht so häufig darin gelesen wird, wie im Neuen Testamente, wo die Liebe Gottes in Christo sich in der Fülle ihrer Vollendung geoffenbart hat, so fehlt doch in jenem die אַהֲבַת יְהוָֹה keinesweges; sie erscheint in ihrer reinsten Bedeutung als Liebe des Vaters gegen die Kinder Israels, כְּאַהֲבַת יְהוָה אֶת בְּנֵי יִשְׂרָאֵל (Hos. 3, 1), der sie freiwillig liebt אֹהֲבֵם נְדָבָה (14, 5), der sie mit „Liebesseilen an sich zieht". Indessen mag immerhin das schöne Wort des Propheten „Jehova schweigt in seiner Liebe" (Zeph. 3, 17) in dem Sinne hier gelten, daß das Wort אַהֲבָה im A. T. mehr verschwiegen, als genannt wird, so regt sich doch der Geist der göttlichen Liebe schon über den dunklen Urgewässern der Welt,

מְרַחֶפֶת עַל־פְּנֵי הַמָּיִם (Gen. 1, 2); das linde Säuseln derselben
(1 Kön. 19, 12 קוֹל דְּמָמָה דַקָּה) nach Sturm, Erderbeben und
Feuer wird immer zuletzt gehört, und dem großen Seher des Bildes der Herrlichkeit Jehovas, der im Sturmwind aus Norden,
großem Gewölk und zusammenwirbelndem Feuer sich ankündigt,
erscheinet am Ende, unter dem rauschenden Getöse der Flügel der
vier Lebendigen, über dem wie Sapphirstein glänzenden Throne
der heilige Gott der ewigen Liebe wie das Ansehn eines Menschen, umleuchtet von dem alten Versöhnungszeichen des stillen
Friedens, dem siebenfarbigen Bogen der Gnade (Ezech. 1, 28).
Aber eben weil die Liebe Gottes, „des Herrn der Herrn", keine
die Person ansehende, partheiische ist (Deut. 18, 17), während
die menschliche von subjectiv = sinnlichen Eindrücken bestimmbar und
auch in den verhältnißmäßig reinsten Äußerungen von selbstsüchti-
ger Neigung mehr oder weniger getrübt erscheint, unsere Liebe
und Gerechtigkeit auseinander fällt, wird jene fast immer צְדָקָה
genannt: denn in Gott, „bei dem nicht Böses wohnt" (Ps. 5, 5),
ist nur eine absolut = vollkommene heilig = gerechte Liebe, טוֹב וְיָשָׁר
יְהֹוָה (Ps. 25, 8); „er liebt (אֹהֵב) Gerechtigkeit und Recht",
חֶסֶד יְהֹוָה מָלְאָה הָאָרֶץ (33, 5), „von der Güte Jehovas ist die
Erde voll". Die חֶסֶד, welche so häufig als Ausfluß der Gerechtigkeit der göttlichen Liebe genannt wird, die Lieblichkeit und An-
muth, wie das Wort z. B. von der Blume vergleichungsweise
vorkömmt (Jes. 40, 6), ist die wohlthuende Güte Gottes, wofür
auch nicht selten טוב gebraucht wird, welche der Mensch als צְדָקָה
nach ihrer Wirkung auf sich erfährt, weßhalb auch beide Wörter
parallel stehen und abwechselnd mit einander gebraucht werden
z. B. „die חֶסֶד יְהֹוָה von Ewigkeit zu Ewigkeit über denen, die
ihn fürchten, וְצִדְקָתוֹ und seine Gerechtigkeit den Menschenkin-
dern" (Ps. 103, 17). Zwei ganze Psalmen, die Luther besonders liebte, sind der ewigen Güte Gottes gewidmet (107 u. 136).
Aber immer wird erinnert, daß sie von der Wahrheit in der Treue
untrennbar sey, weßhalb auch in dem zweiten Versgliede des schon

oben angeführten Liedes (Pf. 89, 15) hinzugefügt wird: חֶסֶד
וֶאֱמֶת „gehen her vor beinem Angesicht", und „alle Wege Jeho=
vas sind חֶסֶד וֶאֱמֶת denen, die bewahren seinen Bund und seine
Zeugnisse" (Pf. 25, 10). An unzähligen Stellen begegnen wir der
חֶסֶד וֶאֱמֶת Gottes, weil sich bei ihm die Liebe unbeschränkt in der
Treue bewährt, z. B. besonders Pf. 36, 6 — 8 u. Pf. 85, 11, wo
die schönen Worte stehen, die vom Alten Testamente gelten können:
„Güte und Treue begegnen sich, Gerechtigkeit und Friede küssen
sich". Aber die Summe des göttlichen Wortes ist אֱמֶת (Pf. 119,
130). Daher wird auch als das Höchste, wodurch der religiös=
sittliche Mensch sich das Wohlgefallen Gottes erwirbt, חֶסֶד וֶאֱמֶת
gepriesen; er soll diese Wörter an seinen Hals binden und auf
die Tafel seines Herzens schreiben (Spr. 3, 3); dieses ἀληθεύειν
ἐν ἀγάπῃ (Ephes. 4, 15) geht durch das ganze Alte Testament. Die
חֶסֶד der צְדָקָה, welche sogar Grund der Gerechtigkeit nach Pf. 62,
13 ist, wo es sehr bedeutend heißt: „dir, o Herr, ist Liebe (חֶסֶד):
denn du vergilst jedem nach seinem Thun", wird der Verdienst=
losigkeit und Ungerechtigkeit gegenüber zum חֵן, womit das A. T.
die Gnade bezeichnet. Am häufigsten erscheint dieses Wort in der
bekannten Redeweise מָצָא חֵן בְּעֵינֵי „er hat Gnade gefunden in
den Augen Gottes oder auch eines Menschen", so z. B. von Abra=
ham (Gen. 18, 3), besonders von Moses (Ex. 33, 12. 13. 16. 19).
Nirgends tritt die Bedeutung der unverdienten Begnadigung, der
Gnadenwahl, in dem חָנַן so eindringlich hervor, als in der letz=
ten der angeführten Stellen, wo Jehova zu Moses sagt: חַנֹּתִי
אֶת־אֲשֶׁר אָחֹן „wem ich gnädig bin, dem bin ich gnädig". Dem
Sünder im reuigen Gefühle seiner drückenden Verschuldung ist
חֵן das lieblichste Wort, wie es denn ganz auch der griechischen
χάρις entspricht: הוּצַק חֵן בְּשְׂפְתוֹתֶיךָ „Lieblichkeit ist ausgegos=
sen über deine Lippen" (Pf. 45, 3). Sehr bezeichnend beginnt
der Bußpsalm (51) mit dem Flehen: חָנֵּנִי אֱלֹהִים כְּחַסְדֶּךָ „sey
mir gnädig, Gott, nach deiner Güte", wo also חֵן in dem Ver=
hältniß zu חֶסֶד steht, daß es der vereinzelte Ausfluß und die

bestimmte Wirkung von dieser ist. Daher heißt es auch Sachar. 12, 10: „ich gieße aus über das Haus Davids und über die Bewohner Jerusalems רוּחַ חֵן וְתַחֲנוּנִים, den Geist der Gnade und der Gnadenerflehung". Allerdings werden beide Wörter auch gleichbedeutend gebraucht; aber scharf in ihrem Begriffe erfaßt, ist חֵן doch vorherrschend die freie Güte und Gunst gegen die Verdienstlosigkeit, wofür Jes. 40 — 66 indessen das alle einzelnen Bestimmungen enthaltende Haupt= und Grundwort צדק immer vorkömmt. Die Gerechtigkeit Gottes muß Gerechtigkeit von dem, mit welchem er im Bunde steht und dem er das Gesetz zur Richtschnur seines Lebens gegeben, fordern; er belohnt den Gerechten und bestraft den Ungerechten; darnach verlangt auch der Fromme, und Salomo, der Weiseste der Könige, betet: „höre du im Himmel, und handle, und richte deine Knechte, daß du den Schuldigen für schuldig erklärest, und seine That auf sein Haupt bringst, und den Gerechten für gerecht erklärst, und ihm thust nach seiner Gerechtigkeit" (1 Kön. 8, 32). Die Gerechtigkeit des Menschen besteht in der Erfüllung der im Gesetze geoffenbarten und gewollten Gerechtigkeit Gottes. Aber „es ist kein Mensch, der nicht sündigte" (1 Kön. 8, 46), und מַה־יִּצְדַּק אֱנוֹשׁ עִם אֵל „wie ist gerecht der Mensch bei Gott"? (Hi. 9, 2), הַאֱנוֹשׁ מֵאֱלוֹהַּ יִצְדָּק (4, 17), „was ist der Mensch, daß rein er sey", כִּי יִצְדַּק יְלוּד אִשָּׁה „und daß gerecht der Weibgeborene"? (15, 14) u. s. w.; לֹא יִצְדַּק לְפָנֶיךָ כָל־חָי „kein Lebendiger ist gerecht vor dir" (Pf. 143, 2); „wer kann bestehen vor Jehova, diesem heiligen Gott"? (1 Sam. 6, 20 u. a. St.). Denn er ist der Allwissende, „der allein das Herz aller Menschenkinder kennt" (1 Kön. 8, 39), „der Herzen und Nieren prüft" (Jer. 11, 20; 17, 10; 20, 12), und die Gerechtigkeit Gottes muß sittlich=nothwendig mit seiner Allwissenheit verbunden seyn (1 Sam. 2, 3), weshalb es auch Pf. 7, 10 heißt: בֹּחֵן לִבּוֹת וּכְלָיוֹת אֱלֹהִים צַדִּיק „es prüfet Herz und Nieren der gerechte Gott" und die Allgegenwart Gottes in ihrer ethisch=praktischen Bedeutung gehört recht eigentlich hieher.

„Bin ich ein Gott nur aus der Nähe, spricht Jehova, und nicht ein Gott auch aus der Ferne? — Kann Jemand sich verbergen im Verborgenen, daß ich ihn nicht sähe? spricht Jehova: füll' ich nicht den Himmel und die Erde? spricht Jehova" (Jer. 23, 23. 24). Dieses Wunder der Allgegenwart in der herrlichsten Beleuchtung der allwissenden Gerechtigkeit Gottes ist am fruchtbarsten und schönsten von dem Dichter des 139. Psalms besungen; eine der großartigsten Schilderungen, wie sich die Sünder Gott nicht entziehen können, finden wir Am. 9, 2. 3: „brächen sie durch in die Hölle, von da würde meine Hand sie fassen, und stiegen sie auf in den Himmel, von da stürzt' ich sie herab; verbärgen sie sich auf dem Haupte des Karmel, von da würd' ich sie aufspüren, und sie wegnehmen, und verhüllten sie sich vor meinen Augen im Grunde des Meeres, von da würd' ich der Schlange gebieten, sie zu beißen". Da nun Gott „kennet unser Gebild, sich erinnert, daß Staub wir sind" (Ps. 103, 14), „so will er nicht immer zürnen und nicht ewig hadern, sonst müßten die Geister vor ihm verschmachten, und die Seelen, die er geschaffen" (Jes. 57, 16). Die Gerechtigkeit wird als חֶסֶד (vgl. Ps. 103, 17, wo חֶסֶד und צְדָקָה genau parallel stehen) zur Barmherzigkeit, אֶרֶךְ אַפַּיִם, רַחֲמִים, zur Langmuth. Aus vielen Stellen, die hieher gehören, zeichnen wir besonders Ex. 34, 6 aus: יְהוָה אֵל רַחוּם וְחַנּוּן אֶרֶךְ אַפַּיִם וְרַב־חֶסֶד וֶאֱמֶת. Wie Gott in seiner Langmuth verfährt, den fortsündigenden Menschen zum Lebensernst und zur Buße zu wecken, indem er ihm die verschiedensten Warnungsstimmen sendet, ihn durch Schmerzen auf dem Krankenlager läutern will u. s. w., darüber giebt Hi. 33, 14 u. ff. treffliche Belehrungen. Die Barmherzigkeit Gottes wird in ihrem allgemeinsten Begriffe erkannt, wo gesagt ist, wie alle Geschöpfe „auf ihn harren, daß er ihnen ihre Speise gebe zu seiner Zeit, seine Hand öffne, daß sie gesättigt werden von der Güte" (Ps. 104, 27 u. 28) dessen, „welcher der Erde Regen bereitet, sprossen zu lassen die Berge von Gras, und selbst den jungen Raben, welche rufen, ihr Futter" (Pf. 147, 9), überhaupt „allem Fleische sein Brod giebt" (Pf. 136, 25). In ihrer biblisch = besondersten und höchsten Bedeutung aber offenbaret sich die Barmherzigkeit Gottes innerhalb des Bundes mit seinem ewigen Volke (Jes. 44, 7-), wo „die Geister vor ihm verschmachten würden", im verzehrenden Gefühle ihrer Sünde und Schuld, und sie in wahrer Reue und Buße (vgl. besonders Jes. 64, 5) nach der ein neues Leben schaffenden Versöhnung schmachten (vgl. Pf. 32 u. 51 und vor allem das Sündenbekenntniß Daniels im Namen des Volks, Cap. 9); da wird sie zu dem belebendsten Freudenworte, das nur gehört werden kann: „leben, leben soll er, nicht sterben: hat denn Gott Wohlgefallen am Tode des Sünders, spricht der Herr Jehova, nicht vielmehr, daß er sich bekehre von seinem Wege und lebe"? (Ezech. 18, 21. 22). So leuchtet denn die צדקה Gottes im A. T. am herrlichsten dem bußfertigen Sünder gegenüber in seiner חֶסֶד und רַחֲמִים; sie wird ihm, der die Erfahrung gemacht, daß er durch die תורה in seiner Entzweiung mit dem heilig = gerechten Gott, die Selbstgerechtigkeit, die nach dem strengen Maaße der צְדָקָה er erlangen müßte, sich nicht erwerben kann, zur Rechtfertigung aus Gnade; die Gerechtigkeit, die allein vor dem Angesichte Gottes bestehen könnte, kann er nur aus dem Glauben an seine vergebende und versöhnende Liebe gewinnen, die größer ist, als seine Schuld (Pf. 103, 10 — 13). Das ganze A. T. ist dieser tief= demüthigenden und hocherhebenden Lehre voll, insonderheit Jes. 40—66, z. B. 43, 25: „Ich, Ich bin Er, der auswischt deine Vergehungen um Meinetwillen, und deiner Sünden will ich nicht gedenken" u. a. St., der „alle Sünden in des Meeres Tiefen wirft" (Mich. 7, 19); ja, „in Jehova nur werden Alle gerecht, בַּיהוָה יִצְדְקוּ" (Jes. 45, 26), und der Mittler dieser Gerechtigkeit ist nach der Verheißung des Propheten der gerechte Knecht Gottes, „der Viele rechtfertigen wird" (Jes. 53, 11), und sogar den inhaltsvollen Namen יהוה צדקנו erhalten soll (Jer. 23, 6). So wird allerdings schon die δικαιοσύνη θεοῦ, die als

Gerechtigkeit der vergebenden Liebe Gottes zur Gerechtigkeit des Menschen vor Gott wird, im A. T. offenbart, aber erst in ihrer vollen, beseligenden Bedeutung in dem Evangelium der Erfüllung erkannt und erfahren, nachdem der erschienen war, welcher in der That der Wahrheit den Namen „Gott unsre Gerechtigkeit" führt. Aber ebenso gehört auch schon im A. T. zur menschlichen Aneignung der göttlichen Gerechtigkeit in der Rechtfertigung der Glaube, die ganze Hingabe des Gemüthes im vollsten Vertrauen der Liebe an die von der heiligen Liebe der Wahrheit bewegte und getragene Gerechtigkeit Gottes, welche seine Herrlichkeit am lieblichsten in der Huld der Gnade, in dem חֵן, das im Tiefsten der צְדָקָה. ruhet, offenbaret. Es gilt hier schon das im Zusammenhange der Rede besondere Wort des Propheten אִם לֹא תַאֲמִינוּ כִּי לֹא תֵאָמֵנוּ (Jes. 7, 9) als ein unbedingt allgemeines; am bestimmtesten aber spricht Habakuk diese Wahrheit in dem festen Worte aus: „der Gerechte wird durch seinen Glauben leben" (2, 5). Freilich hat der Glaube, „ehe das Wort Fleisch geworden und unter uns wohnte, voll Gnade und Wahrheit" (Joh. 1, 14), ehe Der gekommen, „der uns geworden zur Weisheit von Gott, zur Gerechtigkeit, und Heiligung und Erlösung" (1 Cor. 1, 30), noch mit dem Zweifel an der חָכְמָה Gottes, die von seiner Gerechtigkeit zur heiligen Verwirklichung derselben so wenig wie die Allmacht und allwissende Allgegenwart getrennt werden kann, zu kämpfen, wie besonders das Buch Hiob und der Prediger, ja selbst die Stimmen der frömmsten Sänger bei der erschütternden Erfahrung des Lebens in dem vielfachen, scheinbaren Widerstreite desselben gegen das unverbrüchliche Gesetz der Vergeltung genugsam beweisen. Aber immer wird der Zweifel durch die demüthige Einkehr in „die Heiligthümer Gottes" (Ps. 73, 17), durch die verständige Verweisung der menschlich=beschränkten Weisheit auf die Unergründlichkeit des Geheimnisses der göttlichen überwunden (Hi. 28). Und an diese חָכְמָה müssen wir uns auch fest halten, wenn man es anstößig findet, daß Jehova die Kanaaniter

aus ihrem Lande vertreibe, Nationen ausrotte u. ſ. w., kurz Willkür in der Geſchichte erblickt, wobei man den abſolut theologiſch-
teleologiſchen Pragmatismus der hiſtoriſchen Schriften überſieht.
Die Propheten, Pſalmen und philoſophiſchen Bücher des Alten
Teſtaments ſind in ihren Ausſagen über die heilige Gerechtigkeit
oben an zu ſtellen. Aber begreifen wir denn, auf dem Grunde
des Neuen Teſtaments ſtehend, den wunderbaren Rädergang der
von Gott geleiteten Weltgeſchichte anders als durch den Glauben
in der Hoffnung? — Müſſen wir uns nicht die erſchütternde
Rede Hiobs (Cap. 12, 14—25) immer noch zu unſerer Demü-
`thigung geſagt ſeyn laſſen? —

. Richten wir jedoch unſren Blick nun noch beſonders auf die
Strafe, wie ſie nothwendig aus der Sünde folgt und von der
Gerechtigkeit Gottes unnachſichtlich gefordert wird, ſo kann vor
allem nicht ſtark genug hervorgehoben werden, daß ſie der Liebe
des Vaters ſelbſt wehe thut. Man braucht nur den Anfang der
erſten Rede Jeſajas zu leſen, um den Schmerz der väterlichen
Liebe mitzufühlen, daß ihre Hand zu den Schlägen der entarte-
ten und unbußfertigen Kinder immer neue hinzufügen muß; der
Schlag, נֶגַע, muß den Sünder als Übel treffen, aber er will nur
die Sünde ſtrafen, um das Böſe auf Erden zu tilgen. Der ſo
häufig gehörte Weheruf הוֹי dient nicht allein der Erſchütterung
des ſtrafbaren Volkes, ſondern er bringt ſo recht voll und tief
aus der innerlichſten Bewegtheit der ewigen Barmherzigkeit heraus, und die Propheten, die Verkündiger des göttlichen Zorns,
klagen ſelbſt mit Moab und Babel, wenn der finſtere Tag des
Herrn über die gottloſen Feinde Israels hereinbricht (Jeſ. 16, 11;
21, 3. 4). Unter ſo manchen Stellen, welche den tiefen Schmerz
Gottes bei der Nothwendigkeit der Strafe zu erkennen geben,
zeichnen wir beſonders Jerem. 6, 8 aus, wo der Prophet Jehova
ſagen läßt: „laß dich zurechtweiſen, Jeruſalem, damit nicht meine
Seele von dir losgerenkt werde‟, wobei wir nicht die Bedeutung
des חָקַע überſehen dürfen: denn Gen. 32, 26 ſteht daſſelbe verb.

in der gleichen Form von der schmerzhaften Verrenkung der Hüfte Jakobs bei seinem Ringen mit Gott, in Folge dessen er hinkt. Nicht genug beachtet wird in dieser Beziehung für das Wesen der göttlichen Strafe das am häufigsten dafür vorkommende פָּקַד, welches ursprünglich doch nur ein „Suchen und Sehen" (Jes. 34, 16) nach Einem bedeutet, daher auch im Arab. geradezu für „sich nach etwas sehnen" steht. Wenn gewöhnlich bemerkt wird, daß dieses verb. in bonam et malam partem gebraucht werde, in dem ersteren Sinne z. B. Pf. 8, 5 (vgl. schon Gen. 20, 1; Er. 4, 31), wo der Fromme ausruft: „was ist des Menschen Sohn, כִּי תִפְקְדֶנּוּ „daß du auf ihn achtest, gnädig auf ihn siehst", so steht es beziehungsweise auf Gott eigentlich immer im guten Begriff, so daß bei seinem vorherrschenden Gebrauch für Züchtigung, weil Jehova auf den sündhaften Menschen am meisten mit Mißfallen hinblicken muß, unser deutsches „heimsuchen" seine Grundbedeutung am treffendsten wiedergiebt. Gott unterscheidet sich eben dadurch von dem menschlichen Richter, daß in seiner Gerechtigkeit schon die Gnade darin ist, und man von ihm nimmermehr sagen darf: erst straft, und dann begnadigt er. Gott muß, so zu sagen, nach seiner heiligen Naturordnung strafen; sein reines Licht muß in die Finsterniß der Sünde dringen und, um diese zu tilgen, ein Feuer im Innersten des Menschen entzünden, das freilich brennt: „denn der Frevler hat viele Schmerzen" (Pf. 32, 10). Aber Gott will nicht brennen, Schmerzen zu erregen, um die ihm angethane Beleidigung dem Sünder fühlbar zu machen: „denn wird Er aus Furcht vor dir dich züchtigen, mit dir gehen in's Gericht (Hiob 22, 4)? — Schau zum Himmel auf und sieh! blick' nach den Wolken, welche höher sind als du! Wenn du sündigest, was kannst du ihm thun? und sind deiner Missethaten viel, was kannst du ihm schaden? wenn du fromm bist: was kannst du ihm geben? oder, was kann aus deiner Hand er nehmen? — Nur den Mann, wie du, geht dein Frevel an, und den Menschensohn deine Frömmigkeit" (35, 5—8). Erkennt der Mensch dieſes heilige Feuer als nothwendig zu ſeiner Läuterung, und wird er dadurch zur Demuth und Erkenntniß der göttlichen Ge= bote geführt (Pſ. 119, 71), ſo wird ihm die Strafe zur Zurecht= weiſung und Züchtigung, zur מוּסָר und תּוֹכַחַת oder תּוֹכֵחָה und es gilt das Wort: „Heil dem Menſchen, den Gott züchtiget; des Allmächtigen Zurechtweiſung — ſtoß' du ſie nicht zurück: denn er verwundet und verbindet, zerſchlägt und ſeine Hände heilen" (Hi. 5, 17. 18, vgl. mit Spr. 3, 11. 12; 13, 24; 20, 30). „Mich ſchlage der Gerechte, Liebe iſt's; Er ſtrafe mich, — Salbe des Hauptes; nicht weigere ſich mein Haupt, wenn es ferner ge= ſchieht" (Pſ. 141, 5).

Das A. T. unterſcheidet innere und äußere Strafen, doch ſo, daß ſie nicht vereinzelt vorkommen, ſondern zuſammenfallen. Wir erkennen dieſes ſchon in der Geſchichte vom Paradieſe, nach der die Stammeltern nach dem Genuſſe der verbotenen Frucht nicht bloß Schaam und Furcht empfinden, und ſo des Verluſtes früherer Seligkeit ſich bewußt werden, ſondern ſie werden auch aus dem Garten Gottes vertrieben. Ein Abbild des böſen Ge= wiſſens, der Schläge des Innerſten, der מַכּוֹת חַדְרֵי־בָטֶן (Spr. 20, 30) außerhalb des Paradieſes iſt ſogleich Kain, der aber nach dem begangenen Brudermorde nicht allein innerlich unfrei und traurig, ſondern auch unſtet und flüchtig in ein anderes Land, wir könnten deutſch=hebräiſch ſagen, in das Land der Noth, verſto= ßen wird. Die Qualen der Seele des Sünders hat nach eigenſter Erfahrung Keiner ſo ergreifend beſchrieben, als David in dem Zu= ſtande ſeiner Unbußfertigkeit; wie der 51. Pſalm die größeſte Ur= kunde des Sündenbekenntniſſes, ſo der 52. die des Strafbekennt= niſſes: „es verzehrten ſich meine Gebeine, da ich ſtöhnen mußte den ganzen Tag: denn Tag und Nacht laſtete ſchwer auf mir deine Hand, mein Lebensſaft vertrocknete wie in den Dürren des Som= mers" (3. 4). Doch wird auch David wegen des verübten Ehe= bruchs mit dem Verluſte des Kindes der Sünde beſtraft. Den Sündern fehlt vor allem der Friede, und zwei Theile des pro=

phetischen Buches Jes. 40—66 schließen mit den Worten: אֵין
שָׁלוֹם לָרְשָׁעִים (48, 22; 57, 21); vortrefflich wird auch Hi. 15,
20—23 das böse Gewissen geschildert. Daher kömmt es, daß die
alttestamentliche Sprache mit den Wörtern: אָוֶן, צָרֶךְ, שַׁוְא u. s. w.
zugleich die Folge der Sünde, das innere Verderben, bezeichnet.
Aber die Erbsünde in dem Sinne, daß Gott den Nachkommen
Adams dessen Urschuld angerechnet, wird als Strafe nirgends im
Alten Testamente gelehrt. Der reine Begriff der göttlichen Gerechtigkeit leidet dieses durchaus nicht, und man darf nur in das
18. Capitel des Propheten Ezechiel (vgl. damit aber auch Hi. 21,
19. 20) hineinblicken, um sich von der Unrichtigkeit einer solchen
Annahme zu überzeugen. Er verweist dort den Israeliten im
Exil ihr im Munde geführtes Sprüchwort: „die Väter essen saure
Trauben, und der Kinder Zähne werden stumpf" (2), als wäre
„der Weg des Herrn nicht recht gebahnt" (25). Entschieden läßt
er Gott sagen: „der Sohn soll nicht mittragen die Schuld des
Vaters (20); sieh', alle Seelen — mein sind sie; wie des Vaters Seele, so auch des Sohnes Seele — mein sind sie; die Seele,
die da sündiget — die soll sterben" (4). Hiermit widerlegt auch
der Prophet das noch jetzt vielfach gemißbrauchte, obschon an sich
wahre Wort, daß Gott „die Sünde der Väter an den Kindern
heimsuche bis in's dritte und vierte Glied" (Er. 20, 5): denn jenes
Wort hat eben nach der Auslegung Ezechiels doch nimmermehr
den Sinn, daß der Sohn und Enkel um der Schuld des Stammvaters willen gestraft werden, sondern es wird damit nur die un-
umstößliche Wahrheit und Heiligkeit der göttlichen Gerechtigkeit
ausgesprochen, daß sie nicht ruhe und raste, bis sie durch das
himmlische Läuterungsfeuer der unerlaßbaren Strafe aus dem
Hause der Sünde das Böse vom Vater an bis zu den entfernte-
sten Gliedern seines Geschlechts herausgebrannt habe. Überdieß
übersieht man gewöhnlich bei jener Stelle das am Ende deutlich
genug stehende לְשֹׂנְאָי „nämlich nur an denen, die mich hassen".
Nirgends im ganzen Alten Testamente wird nun aber auch noch

der Tod, der Sünde Sold, als Inbegriff alles geistigen Elendes des Menschen, mit solcher eindringlichen Gewalt genannt, wie in jenem hohen Capitel über das wahre Wesen der Strafgerechtigkeit des Heiligen von Israel. „Die Seele, die da sündigt" (Mich. 6, 7: „Sünde meiner Seele") — „die soll sterben" (4, 20), das steht nach Gottes heiligem Willen unverbrüchlich fest, so wie umgekehrt derjenige, der den Heiligen sucht und in der Erfüllung seiner Gebote ihn findet — „leben, leben soll er"! (19. 21. 28). Auf der praktischen Hervorkehrung dieses durchgreifenden Gegensatzes von Leben und Tod, von Licht und Finsterniß, von Heil und Unheil, beruhet nun einmal die unantastbare Lebensordnung des sich lebendig offenbarenden Gottes; die sich von dieser Heilsquelle des ewigen Lebens entfernen, müssen in sich vergehen (Pf. 73, 27). Es wäre überflüssig, weitere Stellen zum Erweise dieser geistigen Bedeutung von Tod und Leben zusammenzutragen; besonders reich sind in dieser Beziehung die Sprüche Salomos, nach denen immer der Weg der Weisheit zum Leben, der der Thorheit zum Tode führt. Statt vieler Stellen sey hier nur eine angeführt (Cap. 8, 35. 36). Die Weisheit, die im A. T. keine metaphysische, oder mystische, sondern eine ethische, die sich durch den Grundspruch, „Furcht Gottes ist der Weisheit Anfang" (Spr. 1, 7; 9, 10; Hi. 28, 28; Pf. 111, 10) zu erkennen giebt, verkündet dort: „wer mich findet, findet Leben, und erndtet Wohlgefallen von Jehova; wer aber sich an mir versündigt, thut Gewalt an seiner Seele; die mich hassen, lieben Tod". Aber doch steht auch der physische Tod nach einer tiefen Erfassung des nothwendigen Zusammenhanges des ethischen und materiellen Lebens in der sündigen Menschheit als das größte der unvermeidlichen Übel im ganzen Alten Testamente unverrückbar fest; er ist und bleibt der „König der Schrecken", מֶלֶךְ בַּלָּהוֹת (Hi. 18, 14), der Weise und Thoren, wie Schafe der Hirte, in sein stilles Reich hinabführt (Pf. 49, 15), in dem die schwankenden Schattengestalten, die רְפָאִים, in die dichteste Finsterniß und Trauer gehüllt, der Erfüllung der prophetischen Verheißung harren, daß dereinst die Gnade Gottes sie „aus der Gewalt des Scheol erlösen" (Hos. 13, 14) und „den Tod auf ewig vernichten werde" (Jes. 25, 8). Kein Dichter hat je eine ergreifendere Todesklage schöner gesungen, als Hiob (Cap. 14), der, in der düstersten Wehmuth über das unvermeidliche Hinabsteigen in die lichtlose Tiefe der Unterwelt, in die Worte ausbricht: „O daß du mich im Todtenreich verbärgest, mich verhülltest, bis sich dein Zorn gelegt, mir eine Frist bestimmtest, und dann dich mein erinnertest"! (13).

Insoferne die Sünde selbst zur Strafe wird, wenn der Mensch mit Bewußtseyn und freier Selbstentscheidung sich ihrer verzehrenden und zerstörenden Macht hingiebt, und in diesem unbußfertigen Zustande sein Herz den Einflüssen der göttlichen Gnade immermehr verschließt und eigenmächtig verhärtet, erreicht diese innere Strafe den höchsten Grad, wo sie zur Verstockung wird, die dann Gott in einzelnen Fällen selbst verhängt. Diese Verstockung oder Verhärtung, קְשִׁי, σκληρότης (Deut. 9, 27), πώρωσις (Röm. 11, 25), ist von jeher ein Stein des Anstoßes im Alten Testamente gewesen. Wie ist es begreiflich, daß der Gott, der nach seiner heiligen Liebe das Herz des Sünders erweichen und zerschmelzen will, dasselbe im Gegentheile verhärten und verstocken soll? — Es kömmt hier bekanntlich die Geschichte Pharaos in besonderen Betracht. Jehova sendet Moses und Aharon zu dem Könige, um ihn zu bewegen, die Israeliten aus Ägypten frei abziehen zu lassen. Während wir nun erwarten, Gott werde zur Ermunterung der Abgesandten sagen: „ich werde das Herz Pharaos erweichen", hören wir gerade umgekehrt das auffallende Wort aus seinem Munde: וַאֲנִי אַקְשֶׁה אֶת־לֵב פַּרְעֹה, „ich werde hart machen das Herz Pharaos" (Er. 7, 3). Aber man verbaut sich hier schon von vorne herein den einfachen Sinn durch die Übersetzung: „ich will das Herz Pharaos verstocken", und indem man die folgenden Worte hinzunimmt: וְהִרְבֵּיתִי אֶת־אֹתֹתַי וְאֶת־מוֹפְתַי בְּאֶרֶץ מִצְרָיִם übersetzt man, „auf daß ich viel mache

meine Zeichen und meine Wunder im Lande Ägypten". Streng
genommen liegt aber in den Worten dieser Stelle keinesweges der
Sinn, daß Jehova das Herz Pharaos absichtlich verstocken wolle,
damit er sich als den Gott der Zeichen und Wunder in Ägypten
verherrlichen könne, sondern nur, daß er, indem er die Widerspenstigkeit des Königs, sein Volk auf seinen Auftrag ziehen
zu lassen, voraussehe, sein Herz verhärten werde, so daß er
sich in seiner eigenen Verhärtung immer mehr steigere, und Er
dann, weil Worte nicht wirken würden, sich durch Zeichen und
Wunder in Ägypten offenbaren müsse; הִקְשָׁה könnte sogar übersetzt werden: „er ließ sein Herz sich verhärten", wobei die sittliche Freiheit des Menschen vollkommen gewahrt ist. Es stellt
sich dann im Wesentlichen kein anderer Sinn heraus, als der,
den wir in den Worten Bildads (Hi. 8, 4) finden: „wenn deine
Kinder sich an ihm versündigten, so gab er sie dahin in ihre
eig'ne Schuld", וַיְשַׁלְּחֵם בְּיַד פִּשְׁעָם. An einer Stelle wird auch
entschieden gesagt, daß Pharao selbst sein Herz verstockt habe,
וַיַּכְבֵּד לִבּוֹ, „indem er fortgefahren, zu sündigen" (Ex. 8, 15. 32;
9, 34), und ebenso 1 Sam. 6, 6: „warum wollt ihr verstocken
euer Herz, wie die Ägypter und Pharao ihr Herz verstockt haben"? — Auf der anderen Seite läßt sich aber auch nicht in
Abrede stellen, daß Gott selbst die Verstockung zugeschrieben
wird, z. B. 10, 20, wo statt des gewöhnlichen הִקְשָׁה das verb.
חזק gebraucht ist; indessen wird doch Pharao vorwiegend als
Urheber seiner Herzensverhärtung genannt; auch 13, 15, wo
הִקְשָׁה פַרְעֹה allein steht. Mag man sich immerhin noch auf
Deut. 20, 2 berufen, wo Jehova nicht bloß den Geist des Königs
Sichon, sondern auch sein Herz verstockt, und das gewöhnliche
הִקְשָׁה sogar noch mit אֶמֶץ verbunden ist; sollte man aus genauer Zusammenzählung der einzelnen Stellen die Berechnung
herausbringen, daß sie sich gegen einander das Gleichgewicht hiel-
ten; ja, würde man so glücklich seyn, zu beweisen, daß die
Summe derer, die Gott selbst den Menschen verstocken lassen, grö-

ßer sey, so müßten wir doch immer hier von der Minderzahl und von dem Spruche ausgehen, den wir Spr. 28, 14 lesen: „אַשְׁרֵי אָדָם מְפַחֵד תָּמִיד וּמַקְשֶׁה לִבּוֹ יִפּוֹל בְּרָעָה, wer sein Herz verhärtet, fällt in Unglück"; im ersten Versgliede wird dagegen derjenige glücklich gepriesen, welcher beständig fürchtet, so daß also die Herzensverhärtung aus dem Mangel an Gottesfurcht abgeleitet wird. Es läßt sich nimmermehr mit dem reinen Gottesbegriff im Alten Testamente, wie ihn die Propheten nach dem Wesen „der Wahrheit und Liebe" geben und entwickeln, in Einklang setzen, daß der Heilige von Israel wirklich das Herz verstocke, nur um für sich seine Majestät und Wunderherrlichkeit zu offenbaren, und so der sittlichen Freiheit des Menschen eine unübersteigbare Schranke zu setzen. Dagegen predigen die Propheten von Anfang bis zu Ende, indem sie nicht müde werden, dem „Hause der Widerspenstigkeit" seine Herzenshärtigkeit als eigene Schuld in den stärksten Strafreden vor Augen zu halten, und unausgesetzt zu ermahnen, „das Herz zu beschneiden, zu zerreißen, und sich ein neues Herz und einen neuen Geist zu schaffen" (Ezech. 18, 31). Nur eine einzige Stelle scheint damit im Widerspruche zu stehen, Jes. 6, 9—10, wo wir den Auftrag Jehovas bei der Weihe des Sehers vernehmen: „geh' und sag' zu diesem Volke: hört nur, hört, und verstehet nicht; seht nur, seht, und erkennet nicht! Verstocke dieses Volkes Herz, und seine Ohren mache schwer, und seine Augen streiche zu, auf daß es nicht mit seinen Augen sehe, und nicht mit seinen Ohren höre, und sein Herz verstehe, und es sich bekehre und ihm Heilung werde". Aber man darf die Ironie dieser Rede nicht verkennen. Nachdem der Prophet, im demüthigen Bewußtseyn seiner Sündhaftigkeit nach langem Ringen mit sich selbst, ob er des hohen Berufes, als Gesandter Gottes in seinem Volke aufzutreten, würdig sey, das heiligende Wort der Weihe in seinem Gemüthe empfangen, und das entscheidende „Herr, sende mich" rasch ausgesprochen, fühlt er die ganze Schwere seines frei übernommenen göttlichen Amtes. Er soll sein Volk ermahnen und zur Buße

8 *

rufen, daß es auf seine Predigt aufmerksam höre und zum Verständniß des Wortes Gottes, zur Einsicht und Erkenntniß seiner Schuld gelange; er soll ihm Herz, Augen und Ohren öffnen, damit es sich bekehre und von seiner Sündenkrankheit genese; er soll der Arzt des Volkes seyn. Aber er kennt die Verblendung Israels von Moses an, daß es sich für gesund halte, wo es krank ist, daß es in seiner verhärteten Widerspenstigkeit gegen den heiligen Geist (Jes. 63, 10) und das gerechte Gesetz Gottes Ohren habe und nicht höre, Augen habe und nicht sehe. Er kennt die Tücke des menschlichen Herzens und die natürliche Macht des Widerspruchs, daß dieser, wenn einmal der Abfall von Gott zur That geworden, sich desto mehr verstärke, je entschiedener und kräftiger ihm das Wort der Aufforderung zur Buße und Bekehrung entgegengesetzt werde. Daher hätten wir in der Berufungsrede Jehovas an Jesaja wohl erwarten können, er werde der Ermahnung, dem Volke rücksichtslos die Wahrheit zu verkündigen, noch die Vorhersagung hinzugefügt haben, daß seine Predigt gerade das Gegentheil bewirken werde. Allein wir hören aus dem Munde Gottes merkwürdiger Weise nicht eine Rede im Futurum, sondern geradezu im gebietenden Imperativ: „du sollst das Herz verstocken, damit (פֶן) es sich nicht bekehre". Diese Worte können keinen andern Sinn haben, als daß der Prophet eben die gänzliche Verstockung des Herzens als Strafe des Volkes erkennt, das erst dann sich bekehren werde, wenn sein heiliges Land verwüstet und aller seiner Bewohner beraubt sey. Auch Jes. 63, 17 läßt der Prophet das Volk in seiner Noth die Herzensverhärtung als seine Strafe selbst aussprechen, indem es klagend ausruft: „warum ließest du uns abirren, Jehova, von deinen Wegen, verhärtetest unser Herz, daß wir uns nicht fürchteten? — Kehre wieder um deiner Knechte, um der Stämme deines Erbes willen"? Die letzten Worte im Zusammenhange der ganzen Rede zeigen klar, daß es dem Propheten in der Entfernung von dem Gesetze und der dann eintretenden Verhärtung des Herzens, bei dieser mehr auf die Folge der beharrlichen Sünde, als auf diese selbst ankömmt. Da wir aber an der Frage „warum ließest du uns abirren von deinen Wegen" nicht den mindesten Anstoß nehmen können, so muß es sich bei der anderen eben so verhalten, und das Volk soll gewiß nichts Anderes sagen, als: „warum gabst du zu, daß sich unser Herz ganz verhärtete"? — Und so langen wir bei der Erwägung der Verstockung immer nur bei einem Hingeben des Sünders von Seiten Gottes in dieselbe zur Strafe an, und hier hat allerdings die Lehre von der Zulassung, die sonst mit dem Wesen der göttlichen Heiligkeit in Streit geräth, ihre volle Berechtigung. Pf. 81, 12—13 dient ganz besonders noch zur Erläuterung: „es hörte mein Volk nicht auf meine Stimme, und Israel war mir nicht willig; da gab ich es hin in die Starrheit seines Herzens, sie sollten wandeln in ihren eigenen Rathschlägen". Der Apostel Paulus sagt dasselbe mit seinem: „διὸ καὶ παρέδωκεν αὐτοὺς ὁ θεὸς ἐν ταῖς ἐπιθυμίαις τῶν καρδιῶν αὐτῶν εἰς ἀκαθαρσίαν" (Röm. 1, 24). Ebenso gehört Klagl. 3, 65 hieher, wo der Prophet sagt: „du wirst ihnen geben Bedecktheit des Herzens, מְגִנַּת־ לֵב (κάλυμμα ἐπὶ τὴν καρδίαν 2 Cor. 3, 15), und das wird dein Fluch für sie seyn". Heben wir endlich noch die stärkste Stelle hervor, in welcher der von seinen Feinden auf das Schwerste Gemißhandelte keine ärgere Verwünschung derselben auszusprechen vermag, als wenn er Gott bittet: „füge Schuld zu ihrer Schuld, auf daß sie nicht zu deiner Gerechtigkeit gelangen" (Pf. 69, 28), wobei wir weit entfernt sind, diese Bitte sittlich zu rechtfertigen, sondern hier nur bemerken, wie nirgends so bedeutsam der Zusammenhang von Sünde und Strafe in dem Einen עָוֹן zum Ausspruche kömmt. Freilich tritt uns nun immer zuletzt, wenn auch die Verstockung des menschlichen Herzens nicht unmittelbar von Gott selbst ausgeht, dem „die Antwort des Mundes auf die Anordnungen des menschlichen Herzens allein gehört" (Spr. 16, 1), sondern er nur den widerspenstigen und hartnäckigen Sünder absichtlich in dieselbe dahingiebt, die verstärkte Frage entgegen, wie denn diese besondere innere Strafweise Gottes würdig sey? Wollen wir nun nicht vor dem wunderbaren Geheimnisse der göttlichen Weisheit, vor den wohlverborgnen „Tiefen derselben, תַּעֲלֻמוֹת חָכְמָה‎" (Hl. 11, 6), auf die uns das A. T. verweist, mit dem Finger auf dem Munde stehen bleiben, so können wir uns das Räthsel psychologisch nicht anders lösen, als daß es einzelne Fälle gebe, wo Der, welcher Herzen und Nieren prüft, erkennt und voraussieht, daß die Krankheit nur dann gründlich geheilt werden könne, wenn sie den höchsten Grad erreicht habe. In diesem Sinne war auch David der Herzensverhärtung dahingegeben, der aber, nachdem er die Unseligkeit derselben bis zum höchsten Maaße in sich erfahren, nun desto entschiedener mit ganzem Gemüthe sich zu Gott bekehrt und zu ihm fleht, er möge „seinen heiligen Geist nicht wieder von ihm nehmen" (Ps. 51, 13). Auf der anderen Seite läßt sich aber auch nicht läugnen, daß Viele „in ihrer Verstocktheit dahin sterben, und Gott sie zur Strafe ihrer Unbußfertigkeit hinwegrafft" (Jes. 6, 12). Dauert wohl diese Verstocktheit auch nach dem Tode fort? —

Aber „Gott hat kein Wohlgefallen am Tode des Sünders, sondern daß er sich bekehre von seinem Wege und lebe" (Ezech. 33, 11; 18, 23), oder wie es besonders bedeutsam von Dem heißt, der das Leben ist und das Leben will: „Ich habe nicht Wohlgefallen an dem Tode des Sterbenden" (18, 32). Dieses bestimmte, die Dunkelheit der Sünde im A. T. freudig durchleuchtende Gnadenwort Gottes enthält wenigstens ein starkes Gegengewicht gegen die Ewigkeit der Strafe auch über den physischen Tod hinaus, die man Jes. 66, 24, von welcher Stelle auch der Verfasser des Buches Judith (16, 17) Gebrauch macht, finden will. Der Prophet schließt sein Evangelium des neuen Himmels und der neuen Erde, der Zeit der Vollendung des theokratischen Reiches, in der „kommen wird alles Fleisch, um anzubeten vor Jehova", mit einem schauerlichen Bilde. Er zeigt uns, wie die Bewohner des neuen Jerusalems aus der Stadt hinausgehen, um die Leichname der Menschen zu sehen, die von Gott abgefallen, deren „Wurm nicht stirbt und deren Feuer nicht verlischt, die ein Abscheu allem Fleische". Wir werden in das Thal Hinnom bei Jerusalem geführt, an den Ort des Gräuels (תפת), wo dem Moloch geopfert wurde, und der deshalb von Jeremia „Mordthal" (7, 32) genannt wird; auch nach diesem Propheten, wie nach dem unsrigen, sollen dort die erschlagenen Leiber des abgöttischen Volkes liegen, „zum Fraße den Vögeln des Himmels und dem Wilde der Erde" (Jer. 7, 33), wie auf ähnliche Weise Joel (Cap. 4) das Thal Josaphat zum Schauplatze des Gerichtes über die widerspenstigen Heiden macht. In jenem Thale, sagt unser Prophet, sollen die Leichen der Abgefallenen, הפשעים liegen, unter denen er offenbar diejenigen versteht, welche bis zu ihrem Tode in Widersetzlichkeit gegen Jehova unbekehrt gestorben. Ein Theil davon wird verbrannt, ein anderer von Würmern zernagt, aber das Feuer soll nicht verlöschen, und der Wurm soll nicht sterben. So werden nach der bildlich=poetischen Vorstellung die in ihrer Unbußfertigkeit Erschlagenen ein ewiges Beispiel der Abschreckung für die Nachkommenden bleiben. Aber die Leichname liegen vor den Thoren des neuen Jerusalem; zernagende Würmer sehen wir nur auf der Erde, und die brennenden Flammen leuchten nicht in die Tiefe des Todtenreiches hinab. Von besonderen Strafen im Scheol, wo „keine Weisheit, keine Einsicht", und „Todesfinsterniß", weiß das Alte Testament überhaupt nichts. Wollte man in unserer Stelle wenigstens den Untersinn finden, daß eine Hindeutung auf die Ewigkeit der jenseitigen Strafen typisch=prophetisch gegeben sey, so läßt sich diese Annahme folgerichtig nicht durchführen: denn die gefallenen Sünder sind ja bereits durch den Tod bestraft, „und die Todten wissen nichts" (Pred. Sal. 9, 5), ja, die Sünder hören in dem Schattenreiche auf „zu zittern" (Hi. 3, 17), können also das zukünftige Feuer der Vergeltung nicht fühlen. Es kann überhaupt nicht genug betont werden, daß die göttliche Strafgerechtigkeit ihr Amt schon diesseits vollstreckt; „die

Geschichte ist das Weltgericht". Nirgends weissagen die großen und kleinen Propheten, so oft sie auch „den Tag Jehovas", den dunklen und furchtbaren, an dem Sonne und Mond sich verfinstern und die Sterne ihren Glanz verlieren, wo Himmel und Erde erbeben, von einer Periode zur andern verkünden, einen Tag der Tage als den jüngsten des jenzeitigen und jenseitigen Endgerichts; immer wird die Erscheinung des יוֹם יְהֹוָה in die diesseitige Zeitentwickelung gesetzt, und wenn die אַחֲרִית הַיָּמִים (Jes. 2, 2 und häufigst) genannt wird, so ist damit der Ablauf der alten Geschichte und der Anfang der neuen mit dem Eintritt des Messias und seines Reiches bezeichnet. Aber auch dieses soll nach Ezechiel noch einmal erschüttert werden, und es kömmt ein neues אַחֲרִית הַיָּמִים. Jener läßt gegen das messianische Reich Gog und Magog heranziehen (Cap. 38—39), um seine Herrlichkeit unter die Heiden durch die furchtbare Niederlage des letzten Feindes des geheiligten Volkes zu bringen, und dann „nicht ferner sein Angesicht vor ihm zu verbergen" (39, 29). Die Weissagung dieses Gerichtes über die Widersacher des neuen Bundes trägt ein sehr sinnliches Gepräge; die Bewohner der Städte Israels sollen herausgehen „zu berauben ihre Räuber und zu plündern ihre Plünderer" (39, 10). Erst der Apokalyptiker des A. T., der Verfasser des in die Maccabäische Zeit fallenden Buches Daniel, redet von einem letzten Gericht nach der Auferstehung der Todten, den Bösen zur Strafe, den Guten zum Lohne, indem er dabei an Stellen anknüpft wie Jes. 23, 22; 26, 19; Ezech. 37, 1—14, in denen aber zunächst nur mit der Wiedererweckung der gefangenen Israeliten aus dem Grabe des Chaldäischen Erils getröstet wird, wobei wir immerhin zugeben können, daß diesen symbolisch-bildlichen Darstellungen die Hoffnung einer allgemeinen Auferstehung der Todten zu Grunde liegt; freilich gehören auch diese prophetischen Aussprüche erst in die erilische Periode, und der alte Hebraismus kennt die Auferstehungslehre nicht. Indessen bringt schon früher vereinzelt die Hoffnung hervor, daß der Herr Macht habe über Tod und Todtenreich und die Seinen daraus erlösen werde (Pf. 16, 10; 49, 16; Hof. 13, 14), woran sich dann die bestimmte messianische Verheißung von der einstigen Vernichtung des Todes knüpft (Jes. 25, 8), in welcher Stelle aber der gleichfalls in der Babylonischen Gefangenschaft lebende Prophet keinesweges die Auferstehung weissagt, sondern nur die Zuversicht ausspricht, wenn wir den reinen Gedanken aus der symbolischen Hülle von dem herrlichsten Gastmahl auf Zion herauslösen, daß Sünde und Tod auf Erden ein Ende nehmen sollen. Ebenso können wir auch die berühmte Stelle Hi. 19, 25 u. 26 „ich weiß, daß mein Erlöser lebt", nicht mit ganzer Überzeugung von der Auferstehung und dem jüngsten Gerichte erklären, wobei überdieß der גֹּאֵל auf dessen Erscheinung der schuldlos Leidende hofft, nimmermehr der Messias ist: denn das am meisten in Frage kommende מִבְּשָׂרִי wird stets zweifelhafter Auslegung bleiben, da es sprachlich eben so gut „aus meinem Fleische", als „ohne mein Fleisch" übersetzt werden kann, obschon B. 26, wo auf das Sehen und die Augen ein besonderer Nachdruck gelegt wird, mehr für die erstere Auffassung zu sprechen scheint. Sollte sich aber wirklich hier die Lehre von dem letzten Gericht beweisen lassen und auch das שַׁדִּין (29) dafür sprechen, so würden wir dadurch andere Gründe für eine späte Abfassung unsres Buches nur verstärkt finden. Ähnlich verhält sich's auch mit dem Prediger Salomo, der zwar auf das Nachdrucksvollste Zeit und Gericht über Alles verkündet (8, 6; 11, 9; 12, 14), aber doch nicht dasselbe über allen Zweifel hinaus an „das Ende der Tage" (Dan. 12, 13) verlegt; gesetzt aber auch, er bezeichnete wirklich mit dem מִשְׁפָּט den jüngsten Tag, so kann das Zeugniß dieses skeptischen Philosophen aus der spätesten Periode der hebräischen Literatur das starke und klare Wort des gläubigen Propheten Jesaja von dem zeitlichen Walten und Wirken des „Tages Jehovas" im Sturze der widersetzlichen Reiche und Völker nicht aufwiegen. Die letzte Stelle des Predigers, die hier besonders in Betracht kömmt, gehört überdieß höchst wahrscheinlich dem Zusatze des Buches von einer noch späteren Hand an. Und so bleibt uns eigentlich nur Dan. 12, 2. 3. 13 über, wo sicher die Auferstehung mit dem Endgerichte verbunden gelehrt wird: „Viele von denen, die schlafen im Erdenstaube, werden erwachen, diese zum ewigen Leben und jene zur Schande, zum ewigen Abscheu; aber die Wohlfahrenden werden glänzen, wie der Glanz der Veste, und die, welche die Vielen gerecht gemacht, wie die Sterne, immer und ewig". Es muß uns hier zuerst auffallen, wie streng nach dem Worte genommen, die Auferstehung keine allgemeine seyn soll; nicht Alle, die im Erdenstaube schlafen, sollen erweckt werden, sondern nur Viele, רבים, und es kann wenigstens dann die Dunkelheit, die auf dieser Verkündigung liegt, nicht verscheucht werden; merkwürdig bleibt in dieser Beziehung, daß nach dem zweiten Buche der Maccabäer 7, 9. 11 nur die Gerechten auferstehen sollen. Es ist unmöglich, die „Vielen" in „Alle" zu verwandeln, und keine Auskunft kann dem einfachen und vorurtheilsfreien Ausleger genügen, am allerwenigsten die berühmte einer großen Autorität: „multos hic ponit pro omnibus, ut certum est. Neque haec locutio debet nobis videri absurda. Non enim rabbim opponit angelus omnibus vel paucis, sed opponit uni". (Calvin). Wollte man sich auch auf Jes. 2, 2. 3 berufen, wo es zuerst heißt, daß alle Völker einst nach dem Berge Gottes strömen würden, und unmittelbar darauf vor dem Auge des Propheten Viele dahin wandeln, so folgt daraus doch nicht, daß schlechthin רבים dem כל gleichbedeutend sey, sondern Jesaja überschaut nur den Zug aller Nationen, wie er in seiner bunten Mannichfaltigkeit sich nach Zion hinbewegt, so daß die hohe Hoffnung hervortritt, es werde eine Zeit kommen, in der die vielen Stämme zur Einheit in dem Einen Gott gelangen würden. Ebenso verhält es sich auch Jes. 53, 11, wo der gerechte Knecht Gottes Viele rechtfertigen soll (vgl. Matth. 20, 28; Marc. 10, 45), und die Vielheit die Allheit in ihrer Verschiedenheit bezeichnet; indessen läßt sich hier aller-

dings auch רַבִּים dem Einen עֶבֶד יְהוָה gegenüber faſſen, ſodaß das כֹּל nicht ausgeſchloſſen iſt. Aber bei Daniel iſt dieſes anders, und wir werden uns, wenn wir den Zuſammenhang genau
beachten, nicht ſträuben dürfen, zuzugeben, daß hier nur von
den geſtorbenen Israeliten die Rede ſeyn kann: denn im unmittelbar Vorhergehenden wird geſagt, daß das Volk Gottes in der
Zeit der noch nie dageweſenen Drangſale gerettet werden ſolle,
„Alle die aufgeſchrieben ſind im Buche des Lebens‟, alſo die dann
gerade noch Lebendigen; die Vielen aber, die ſchon in dem Er-
denſtaube ſchlafen, werden auferweckt. Wenn das רַבִּים ganz aus-
gelaſſen wäre und wir nur im Texte läſen, „und die im Erden-
ſtaube Schlafenden werden erwachen‟, könnten wir auch nicht
einmal zuverſichtlich annehmen, daß im Fortgange der Rede an
die allgemeine Auferſtehung der Todten zu denken ſey, ſondern
am nächſten läge doch nur die Beziehung auf die Israeliten; ja,
ſogar in dem Falle, daß כֹּל geſchrieben ſtände, wären wir nicht
ſicher, ihm die Bedeutung der umfaſſendſten Ausdehnung geben
zu dürfen. Nur dann, wenn das beſtimmte Subject der גּוֹיִם oder
עַמִּים dabei benannt wäre, würde die entgegengeſetzte Erklärung
ihr unbeſtreitbares Recht in Anſpruch nehmen können, und wir
hätten wohl erwarten dürfen, daß dieſes, um Misverſtändniß zu
vermeiden, geſchehen ſey, wenn wirklich der Prophet eine allgemeine Erweckung der Todten im Sinne gehabt. Von einer Unterſcheidung aber einer erſten und zweiten Auferſtehung (Apoc.
20, 5. 6) weiß das Alte Teſtament nichts. Es kömmt uns jedoch
hier überhaupt nur auf den Gegenſatz der zum ewigen Leben und
der zur Schande und zum ewigen Abſcheu Erwachenden an, und
da müſſen wir freilich zugeſtehen, daß das לְדֵרָאוֹן עוֹלָם (Jeſ. 66,
24 fehlt bei דֵּרָאוֹן das עוֹלָם) im ſtrengſten Sinne einer unend-
lichen Strafe zu faſſen ſey: denn wenn wir auch einräumen, daß
es bisweilen mit dem Begriffe der Ewigkeit im A. T. nicht im
ſtrengſten Sinne zu nehmen ſey, ſo daß das עוֹלָם nur eine ſehr
lange Zeitdauer bezeichne, ſo kann dieſes hier nimmermehr ſtatt-

finden, da nach der Auferstehung von den Todten an kein neues
Sterben weiter zu denken ist. So gewiß nun aber auch an unserer Stelle die ewige Verstoßung der Bösen, die sich während
ihres irdischen Lebens nicht bekehrt haben, gelehrt ist, so wird
doch eine besondere Art der Strafe nicht bestimmt. Im dunklen
Scheol (Hi. 10, 21. 22), dem אֲבַדּוֹן, dem Vernichtungsort (Hi.
26, 6; 28, 22; Spr. 15, 11), wo die רְפָאִים, die Schwachen
und Schwankenden, weil ihre Seele von dem Leibe getrennt (Jes.
14, 10; 38, 12), in beständiger Trauer über sich selbst (Hi. 14,
20), „ohne That und Klugheit, ohne Einsicht, ohne Weisheit,
ohne Liebe, ohne Haß und irgend einen Antheil an Allem, was
geschieht unter der Sonne" (Pred. Sal. 9, 6. 10), keine Loblie-
der auf Gott mehr singen (Ps. 88, 11—13), „da im Tode kein
Gedenken desselben" (Ps. 6, 6), war freilich keine Möglichkeit zur
Sinnesänderung gegeben. Aber nun sind sie ja aus dem Schlafe
des Todes erweckt, und sollte da nicht endlich in die räthselhaft-
dunkle Ewigkeit ihrer Verstockung und Verurtheilung ein Strahl
der lichten Zeit hineindringen, wo der Gott, „dessen Wort wie
ein Hammer Felsen zerschmettert, und aus Steinen Wasser rie-
seln läßt" (Jes. 48, 21; Jer. 23, 29), ihre Herzen öffnen werde?
Diese Frage wird sich immer von neuem auch schon auf dem Boden des Alten Testamentes erheben, im Angesichte von Moses,
allen Propheten und heiligen Sängern, die gegen den einzigen
Daniel zeugen. „Ich aber hoffe auf den Herrn" (Jes. 8, 17),
„vor dem tausend Jahre sind wie der Tag von gestern, wenn er
vorbei" (Ps. 90, 4), daß die Weissagung Jeremias ihre aller-
höchste, jenseitige Erfüllung finden werde: „sie sollen nicht fürder lehren Einer den Andern, der Mann seinen Bruder, sa-
gend: „erkennet Jehova": denn sie Alle werden mich erkennen
vom Kleinsten bis zum Größten, spricht Jehova: denn ich will
vergeben ihre Schuld, und ihrer Sünde fürder nicht gedenken"
(31, 34). Ist das nicht der Gott, der gesagt: „alle Seelen sind
mein" (Ezech. 18, 4); der „kennet unser Gebild, sich erinnert,

daß Staub wir sind, und uns nicht thut nach unsren Sünden, und uns nicht vergilt nach unsren Vergehungen" (Pf. 103, 10. 14), und deſſen „Liebe währet ewiglich" (Pf. 136)? — Wir sind weit entfernt, die positive Macht der Sünde in ihrer bestimmten Entgegensetzung gegen die Heiligkeit Gottes abschwächen, und pantheistisch Gutes und Böses in einander verschwimmen laſſen zu wollen; wir können, vom Menschen ausgehend, dem Bösen die furchtbare Freiheit gestatten, in das Unendliche sich zu steigern und zuletzt in sich selbst unerreichbar zu verhärten, und in dieser ewigen Verstockung ewig zu leiden; aber, wenn wir wieder bei Gott anlangen, und in das helle, freundliche Licht der wunderbaren Einigung von Gerechtigkeit und Gnade in der unergründlichen Tiefe seines Wesens hineinschauen, dann wagen wir nicht den harten Begriff einer endlosen Dauer der Verstockung und Verdammung ganz zu vollziehen; er zerschmilzt wenigstens Vielen, vielleicht den Meisten, und nicht den Lauesten in der Frömmigkeit an dem Feuer der unverlöschbaren göttlichen Liebe. Eine tiefrührende Sehnsucht nach einem allgemeinen Frieden der Schöpfung unter einem „neuen Himmel und auf einer neuen Erde" in dem Reiche des von Gott Gesalbten, des „Fürsten des Friedens" durchzieht das ganze A. T. Wenn Jesaja auf eine Zeit hofft, wo „der Wolf bei dem Lamme wohnt, und der Parder bei dem Böckchen liegt" (11, 6—9), so ist ihm das folgende Wort (9) um so sicherer voller Ernst, daß dereinst die Menschen „nicht mehr böse und verderblich handeln werden auf Gottes ganzem heiligen Berge: denn voll werde seyn die Erde von Erkenntniß Gottes, wie das Waſſer den Meeresgrund bedeckt". Und wenn einer der größten Propheten in der Beschreibung des neuen Jerusalems (Jes. 60) die Verheißung ausspricht, daß das ganze Volk aus Gerechten bestehen, und auf ewig das Land besitzen werde (21), daß die heilige Stadt nicht ferner mehr der Sonne und des Mondes bedürfe, sondern daß ihr „Gott selbst zum ewigen Lichte diene und die Tage der Trauer vorüber wären" (19. 20), werden wir da nicht an die Hoffnung des

Apostels erinnert, daß einst eine Zeit kommen werde, wo Gott Alles in Allem sey" (1 Cor. 15, 28)? Läßt sich mit dieser hohen Verkündigung ein finsteres Reich ewig Verdammter vereinbaren? — Ja, so wenig je die nach Idealität ringende Poesie ausstirbt, so gewiß wird immer von neuem die Hoffnung auf die ἀποκατάστασις πάντων (Apostelg. 3, 21) sich geltend machen, troß dem Apokalyptiker des Alten und Neuen Testaments.

Wenden wir uns von der Auferstehung, zu der wir durch die Beantwortung der Frage, ob eine ewige Strafe im A. T. gelehrt werde, nothwendig geführt wurden, wieder dem Tode zu, so ist er, wie wir bereits gesehen, nicht bloß der Sünde Sold, insofern „die Seele stirbt durch ihre Schuld", sondern auch indem er mit unerbittlicher Gewalt die Seele trennet von dem Leibe (Jes. 38, 12) und das Gewebe des Lebens zerstört. Er ist die nothwendige, an der von der Sünde durchdrungenen Natur des Menschen haftende positivste Strafe des Menschen. Denn so gewiß alle Menschen Sünder sind, müssen alle Seelen in die unergründliche Tiefe der Erde (Jer. 31, 37), in die große Todtenhöhle, die Jeden zu sich fordert (שאול Hab. 2, 5; Jes. 5, 14), hinabsteigen: „denn kein Mensch ist Gebieter über den Geist, zurückzuhalten den Geist, und es giebt keinen Gebieter über den Tag des Todes" (Pred. Sal. 8, 8); der, welcher das Bild Gottes an sich trägt, steht hier, zur Demüthigung alles Stolzes der Erdgebornen auf einer Stufe mit dem Thiere (3, 19); „Alles ist vom Staube, und Alles kehrt zurück zum Staube" (20). Zwar wirft dieser Weise die merkwürdige Frage auf: „wer weiß von dem Geiste der Menschenkinder, ob er aufsteige nach Oben, und vom Geiste d. i. dem Lebensgeiste der Thiere, ob er hinabsteige nach Unten zur Erde"? (21), und in dieser in ihrer Art einzigen Stelle könnte es fast den Anschein gewinnen, als habe sich eine spätere Speculation über den Glauben an den Scheol erhoben, aber unser Skeptiker zieht doch die Hoffnung, daß sich der Geist des Menschen beim Tode nach Oben schwinge, sogleich

wieder in Zweifel, indem er bemerkt, wie Hoffen eben kein Wiſ=
ſen (מִי יֹדֵעַ) ſey, und er thut dieſes im Zuſammenhange der Rede
offenbar deßhalb, um das anſpruchsvolle Herz in dem vielfach
dunklen Leben der Eitelkeit unter der Sonne — und daß wir
unſterblich ſeyen, gehört, wie Luther zum Prediger ſchön ſagt,
über die Sonne — zur unbedingten Gottergebenheit auf das
Stärkſte zu ermahnen, und an die unüberſteiglichen Schranken
des fruchtloſen Grübelns des endlichen Verſtandes über das Un=
endliche zu erinnern. Am Ende ſeines Buches ſagt allerdings der
Prediger mit Entſchiedenheit: „wenn das ſilberne Band zerreiße
und das goldene Ölgefäß zerbreche, wenn der Eimer an der Quelle
zertrümmert werde, und das Rad am Brunnen zerſchelle‟, dann
„kehrt der Staub zurück zur Erde, wie er geweſen, und der Geiſt
kehrt zurück zu Gott, der ihn gegeben‟ (12, 7). Aber damit iſt
nichts Anderes gelehrt, als daß beim Tode des Menſchen der Le=
benshauch (רוּחַ) ſich zu der Quelle zurückwende, aus der er ge=
floſſen, worauf der Leib wieder in Staub, aus dem er gebildet,
zerfällt, ganz entſprechend der Schöpfung des Adam (Gen. 2, 7):
denn רוּחַ iſt auf keinen Fall von נִשְׁמַת חַיִּים, welche Gott dem
aus Erde Geformten durch ſeine Naſe (בְּאַפִּיר) einhauchte, ver=
ſchieden, wie denn auch רוּחַ und נְשָׁמָה Jeſ. 42, 5; Hi. 27, 3
mit einander abwechſeln (vgl. auch Hi. 34, 14. 15; Pſ. 104, 29.
30; 136, 17); מוּת ſterben wird daher öfters durch גָּוַע „aus=
hauchen‟ bezeichnet, und jenes iſt eben eine Folge von dieſem
(Gen. 25, 8). Die רוּחַ, weil ſie von Gott kömmt, der den Men=
ſchen vor dem Thiere adelte, daß er ihn durch die Einhauchung
derſelben zu einer נֶפֶשׁ חַיָּה (Gen. 2, 7) d. i. zu einer Perſönlichkeit
machte (Lev. 2, 1), iſt freilich zugleich mehr als bloßer Lebens=
athem, ſondern im höchſten Betracht Geiſt, die Leuchte Gottes,
„welche die Gemächer des Innerſten durchforſcht‟ (Spr. 20, 27),
das Selbſtbewußtſeyn des Menſchen, das aber, wenn die נֶפֶשׁ,
durch das koſtbare „ſilberne Band‟ des Geiſtes mit dem Leibe
verbunden, ſich von dieſem durch das Zurückziehen jenes ſcheidet,

zwar nicht ganz verschwindet, aber doch verdunkelt wird; das „Licht des Lebens" (Pf. 56, 14) verlischt, und die Seelen, an denen wegen ihres begründeten Zusammenhanges mit dem Körper, in dessen Blute sie ihren Sitz hatten (Lev. 17, 11; Deut. 12, 23; Gen. 9, 4), und mit demselben hingegossen werden (Klagl. 2, 12), nach dem Verlassen des Fleisches eine gewisse, weiter nicht beschriebene Leiblichkeit haften bleibt, kein שאר‎, aber ein בָּשָׂר‎, haben am Orte der Finsterniß ein nur traumartiges Daseyn. Die Dichter, die sich des Scheol bemächtigen, und in freier Behandlung desselben sich in verschiedenen Vorstellungen, die wir nicht in feste Glaubenssätze verwandeln und in einen strengen Zusammenhang pressen dürfen, da nur „vor Gott שאול‎ blos liegt und ohne Hülle אֲבַדּוֹן‎" (Hi. 26, 6), lassen die darin befindlichen Schattengestalten ihr früheres Leben fortsetzen; die Helden „fahren hinab mit ihren Kriegeswaffen, und unter ihren Häuptern liegen ihre Schwerter" (Ezech. 32, 27), während die Könige auf ihren Thronen sitzen (Jef. 14, 9). In jenem bedeutenden Schlußworte des Predigers, der offen bekannte, daß Keiner dahin gelangen könne, zu sehen das, „was nach ihm seyn werde", sind alle bildlich-poetischen Vorstellungen abgethan, und er faßt als philosophischer Denker das zusammen, was er über die Folge des Todes mit zuversichtlicher Gewißheit behaupten kann. Man hätte aus dieser Stelle die Unsterblichkeit weder theistisch beweisen, noch pantheistisch als persönliche Fortdauer leugnen sollen, als kehre der Geist in seiner Besonderung nach dem Zerfallen des Leibes in die Allgemeinheit des Absoluten zurück und das individuelle Bewußtseyn erlösche auf immer: denn unser Weiser hat den persönlichen Gott des Alten Testamentes bei aller seiner sonstigen Zweifelsucht sich recht eigentlich als הָאֱלֹהִים‎ gerettet und weiß nichts von der Abstraction einer sogenannten Gottheit. Soviel ist aber auf der anderen Seite allerdings gewiß, daß, wenn auch der Prediger hier nur von einem Zurückkehren des den Leib belebenden Geistes zu Gott, „der Quelle des Lebens" redet, sobald das „goldene Ölgefäß", der Leib als Behälter des Geistes zerbrochen, daraus nicht gefolgert werden könne, als ob er ihn in dieser Quelle verschwimmen lasse,— sondern er kann recht wohl sich „den" Geist bei dem „Gott der Geister" bewahrt glauben; aber er sagt darüber nichts Bestimmtes aus, wie wir denn überhaupt, daß ich so sage, ein Henochs-Sterben (Gen. 5, 24), welches ja an sich von dem ausgezeichneten Frommen allein berichtet wird, nur in sehr vereinzelten Stellen über das beklagenswerthe Hinabsteigen in die Dunkelheit des Todtenreiches finden, z. B. Psf. 17, 15, wo sich David freut, daß er „in Heil das Angesicht Gottes schauen, und sich beim Erwachen an feinem Bilde sättigen werde" (vgl. auch Psf. 49, 16; 73, 24). Soviel ist gewiß, daß das Alte Testament sonst keinen unmittelbaren Übergang der Gerechten zu Gott kennt, und nur das apokryphische Buch der Weisheit redet von der ἀφθαρσία (2, 23) in dem Sinne, daß sie „nach kurzer Züchtigung großen Lohn empfangen werden" (3, 1—5). Bekennen wir es offen: weil man diese ἀφθαρσία, das Abstractum „Unsterblichkeit", dessen Unbestimmtheit an sich viele Verwirrung in die ganze Lehre gebracht, wohl gar mit vorgefaßten christlichen Begriffen und Vorstellungen gesucht, die sich nicht einmal immer im Neuen Testamente nachweisen lassen, wobei noch dazu die nothwendige Unterscheidung der נֶפֶשׁ von רוּחַ mehr oder weniger unbeachtet blieb, in den kanonischen Schriften des Alten Testamentes nicht vorfand, wurde von manchen Seiten geradezu der Satz ausgesprochen, daß der Hebraismus der trostvollen Hoffnung der persönlichen Fortdauer nach dem Tode gänzlich entbehre. Man stieß sich besonders daran, daß Moses ein tiefes Stillschweigen über die Unsterblichkeit beobachtet habe, ohne vorher erst sich kritisch die Beantwortung der Frage vorgelegt zu haben, wie viel denn überhaupt im Pentateuch ihm Schriftstellerisches mit voller Gewißheit zugesprochen werden könne, und ging sogar soweit zu vermuthen, daß er sein Geheimniß von der Jenseitigkeit des Menschen absichtlich möge verschwiegen haben, um sein Volk desto eindringlicher zur Befolgung des Gesetzes anzutreiben, welches Segen und Fluch in die Entwickelung und Abgeschlossenheit der Diesseitigkeit setzt. Die Wahrheit davon, die man eben in der ganzen Untersuchung über die alttestamentliche Unsterblichkeit häufig übersehen, liegt darin, daß die von Moses begründete Theokratie mit ihrer Hauptlehre von der Vergeltung ihre Verwirklichung auf Erden erhalten soll. Diese Lehre, die nothwendig aus der Heiligkeit der lebendigen Wirksamkeit des Gesetzes fließt, das der Gott gegeben, „der schlägt und heilt, tödtet und lebendig macht" und mit seiner „ausgestreckten Hand und hochgerecktem Arm" stets mitten in der Weltgeschichte ist, geht aus dem Alten Bunde in den Neuen hinüber, nur daß in diesem die Verkündigung des jüngsten Gerichts mit besonderer Anknüpfung an die Verheißung Daniels entschiedener hervortritt, und die christliche Hoffnung des Sieges über den Tod sich auf den Glauben an den Erlöser stützt. Man hätte, wie sich der Christ an das Wort des Auferstandenen: „Ich lebe, und ihr sollt auch leben" im festen Glauben demuthsvoller Hingebung hält, auch im Alten Testamente, statt auf einzelne Redeweisen, wie „zu seinen Vätern oder Stammesgenossen versammelt werden" (Gen. 25, 8; 36, 29; 49, 29; Num. 20, 26 u. a. St.) u. dgl. einen zu großen Werth zu legen, obschon eben nach Gen. 49, 29 das zum Volke Gesammelt= und zu den Vätern Begrabenwerden bestimmt unterschieden wird, oder mit Schauder in die grauenvolle Tiefe des finsteren Todtenreiches unverwandt hinabzublicken, lieber zum Himmel des Gottes aufschauen sollen, der das Leben ist und das Leben hat, und in dessen Gemeinschaft der Fromme, unberührt von dem Schrecken des Grabes, ausrufen kann: „mein Fleisch vergeht und mein Herz, aber der Fels meines Herzens und mein Theil ist Gott in Ewigkeit" (Ps. 73, 26). Aber immer bleibts im A. T. ein „schlimmes Übel, daß Jeder, wie er kam, so wieder gehen muß" (Pred. Sal. 5, 16), und selbst der fromme König Hiskia, als der Prophet an sein Todtenbett tritt und ihm das letzte Wort verkündet: „bestelle dein Haus", weint die bittersten Thränen, „daß er nicht mehr sehen soll Gott im Lande der Lebendigen, nicht ferner mehr erblicken Menschen bei den Bewohnern der Stille" (Jes. 38, 11).

So ist denn der Tod, den der Mensch zeitlebens stirbt (Ps. 88, 16; 96, 7—9), bis der Unerbittliche, von dem „kein Bruder den Andern befreien und Gott sein Lösegeld geben kann" (Ps. 49, 8; 89, 49), in der Verwandelung des Erdensohnes in Staub zum Abschluß seiner vernichtenden Macht gelangt, die allgemeine Strafe Aller, welche „siebzig Jahre, und wenn's hoch kömmt, achtzig Jahre leben" (Ps. 90, 10), und dann „den Weg der ganzen Erde gehen" (1 Kön. 2, 2). Aber es giebt auch noch einen besonderen Tod Einzelner, die vor dem natürlichen Ende ihrer Tage zur besonderen Strafe vom Zorne Gottes dahingerafft werden. Moses sagt zu der Gemeinde Israels: „wenn, wie alle Menschen sterben, diese (die Gott verachtenden Korachiten) sterben, und mit der Strafe aller Menschen gestraft werden, וּפְקֻדַּת כָּל־הָאָדָם יִפָּקֵד עֲלֵיהֶם, so hat Jehova mich nicht gesandt" (Num. 16, 29), und nun „thut die Erde ihren Schlund auf und verschlingt sie und Alles, was ihnen angehört; sie fahren lebendig d. i. ohne des natürlichen Todes gestorben zu seyn in die Unterwelt" (30. 33), wovon später der Dichter in seiner Verwünschung ruchloser Frevler Gebrauch macht (Ps. 55, 16), und von einem solchen Tode treffend sagt: יַשִּׁי מָוֶת עָלֵימוֹ, „er breche in überraschender Täuschung über sie herein"! Auch der König Hiskia betrachtet seinen frühen Tod als Strafe Gottes, wenn er klagend ausruft: „ich soll bestraft werden פֻּקַּדְתִּי um den Rest meiner Jahre" (Jes. 38, 10), wobei wir das mildernde und schwächende „vermißt werden" entschieden ablehnen. Daher fährt auch das Schwert Jehovas gewaltig durch das Alte Testament (vgl. besonders Ezech. 21), und die drei Hauptstrafen der erzürnten Gerechtigkeit sind Schwert, Hunger und Pest (Ezech. 6, 11. 12), wozu sich auch noch die wilden Thiere des Feldes gesellen, denen die Leichname

der Erschlagenen zum Fraße hingeworfen werden (Jer. 15, 2. 3).
Eine der ergreifendsten Schilderungen der Folgen der Sünde überhaupt finden wir Hj. 20, 22—29. Die theokratisch=positivste
Strafe im Besondersten ist die Wegführung des Volkes Gottes
aus dem heiligen und fruchtbaren Lande der Verheißung auf
den Boden der Fremden, wenn es trotz der immer wiederholten
Züchtigungen durch die Heiden und ihre Könige, die nur Ruthen
und Stäbe in der Hand des Heiligen von Israel, das er nun
einmal nach seinem ewigen Rathschlusse undurchdringlicher Weisheit zum Mittelpuncte der Weltgeschichte auserlesen, sich nicht zu
seinem Herrn der Allmacht und Gnade bekehrt. Wer vor dem
lodernden Feuer des von der Zorngluth des eifrigen Gottes auf
dem Boden des Alten Bundes entzündeten Brandes erschrickt, der
bedenke, daß wir am Fuße des Gesetzesberges stehen, aus dem
Donner und Blitze fahren; er kühle sich in dem „sanften, stillen
Säuseln", das Elia vernommen. Er meine aber nicht dem alttestamentlichen Zorngott, der „schlägt" (הִכָּה, נָגַע ,נָכָה), „schmilzt"
(צָרַף ,בָּחַן ,בָּרַר) und „drischt" (דוּשׁ), um Silber und Körner
zu gewinnen, entgehen zu können, wenn er, die zeitlichen Übel
als positive Strafen verwerfend, zu dem neutestamentlichen „Vater der Liebe" sich flüchtet: denn auch in dem Evangelium wird
das Übel, das den Sünder trifft, als Folge seiner Schuld mit
Bestimmtheit gelehrt. Der Fromme, den furchtbar verheerenden
Naturgewalten gegenüber, die er von der Alles umfassenden Hand
des allmächtigen Schöpfers und Herrn der Welt, der über den Cherubim thronet, und „zur Erde blickt, daß sie bebt, die Berge an-
rührt, daß sie rauchen" (Ps. 104, 32), nicht loszureißen vermag,
weiß, daß er, unter dem Schilde Gottes wohlgeborgen, nicht zu
erzittern braucht „vor dem Schrecken in der Nacht, vor dem
Pfeile, der am Tage fliegt, vor der Pest, die im Dunklen wandelt, vor der Seuche, die am Mittag wüthet"; daß, „wenn
auch Tausend fallen an seiner Seite, und Zehntausend zu seiner
Rechten, dieses Alles ihn nicht trifft, und er nur die Vergeltung

der Bösen sieht" (Pf. 91, 5—8). Diesen felsenfesten Glauben läßt sich der, welcher Gott zu seiner Burg erkoren (2), nimmer rauben, und wenn selbst tausend und zehntausend Gerechte neben ihm fallen, er blickt immer wieder getrost zu Gott empor, „der für ihn seinen Engeln gebietet, ihn zu bewahren auf allen seinen Wegen, auf den Händen ihn zu tragen, daß sein Fuß an keinem Stein anstoße"; er vertraut auf Den, der ihn über brüllende Löwen und Ottern schreiten, und junge Löwen und Drachen niedertreten läßt" (11—13): „denn er hängt an Ihm" (14. חָשַׁק). Und wenn diesen sogar „das Übel trifft" (10), so betrachtet der gleichgesinnte Freund solches nicht als Strafe, wie diejenigen, welche zu Hiob gekommen, um ihn zu trösten, sondern er faßt sich gleich ihm in der stillen Verehrung einer unerforschbaren Weisheit des heiligen Gottes (Hi. 28). Der alttestamentliche Philosoph sprach: „weise will ich werden! Aber die Weisheit blieb fern von mir. Fern ist's! — Was ist's, das ist? Tief, tief: wer wird es finden"? (Pred. Sal. 7, 23. 24). Der Prophet verkündet eine Zeit, in der Gott auf dem heiligen Berge „vernichtet die Hülle, die Hülle über allen Völkern, und die Decke, die gedecket über alle Heiden", wo er „vernichtet den Tod auf ewig, und der Herr Jehova abwischt die Thränen von allen Angesichtern" (Jes. 25, 7. 8). So erkennt das Alte Testament das Böse und das Übel an, ohne zu der schwebenden Auskunft der bloßen „Zulassung" von Seiten Gottes zu greifen. Es betrachtet dasselbe als von Dem nach seiner heiligen Weisheit, die in der Züchtigung der Einzelnen nach dem verschiedenen an sie gelegten Maaße nirgends trefflicher beschrieben wird, als Jes. 28, 24—29 in der vom Landbau hergenommenen Gleichnißrede, vorhergesehen und bestimmt, „der Licht bildet und schafft Finsterniß, der Heil wirkt und schafft Übel, der Alles dieses thut" (Jes. 45, 7); das Licht muß in die Finsterniß scheinen, damit es gesehen werde. Er kämpft als allgegenwärtiger Weltregierer wie ein starker, unüberwindlicher Held mit der Macht des Bösen und des Übels, und führt es in seiner wunderbaren Verkettung von Freiheit und Nothwendigkeit zuletzt zum Guten; die Brüder Josephs „gedachten es übel mit ihm zu machen, aber Gott gedachte es gut zu machen" (Gen. 50, 20). In diesem einfachen Worte liegt alle Weisheit der Speculation über die Geschichte der sündigen Menschheit. Ich aber schließe mit einer Belehrung aus einem der Bücher, die trotz neuester Verwerfungsurtheile „doch nützlich und gut zu lesen sind".

„Ihr wollet den Herrn, den Allmächtigen, ergründen, aber ihr werdet Nichts erfahren in Ewigkeit: denn die Tiefe des Herzens des Menschen findet ihr nicht, und die Gedanken seines Sinnes erfasset ihr nicht, und wie wollt ihr den Gott erforschen, der alles dieses gemacht, und seinen Verstand erkennen, und seine Vernunft verstehen? — Nimmermehr, meine Brüder! Erzürnet nicht den Herrn, unsern Gott"! (Judith 8, 13 — 14).

***

Druck von Fr. Frommann in Jena.

Theologisch = wissenschaftliche Bibliothek
aus dem Verlag
von Friedrich Perthes von Hamburg.

	Thlr.	Sgr.
Ackermann, C., das Christliche im Plato	1	22½
— — eine Beichte	—	12
Acta historico-ecclesiastica. 3 Bände	8	7½
Becker, H., über Goeschels Versuch eines Erweises der persönlichen Unsterblichkeit	—	20
Beiträge zu den theologischen Wissenschaften, von den Professoren zu Dorpat. 2 Bände	3	5
ellermann, Chr. Fr., die ältesten christl. Begräbnißstätten	5	—
ötticher, W., das Christliche im Tacitus. 2 Theile	3	20
Bröcker, J. P. C., der Gemeindegottesdienst	—	15
Bruch, göttliche Eigenschaften	1	15
Cultus, der, des Genius von C. Ullmann u.	—	22½
Deinhardt, J. S., Begriff der Seele	—	10
Dorner, J. A., der Pietismus und seine Ge	—	11¼
Drechsler, M., die Einheit und Echtheit der	1	15
Ehrenfeuchter, Fr., Theorie des christlichen Cultus	2	7½
Erbkam, H. W., protestant. Secten während d. Reformation	2	16
Förstemann, C. Ed. Urkundenbuch a. d. Reform. 1r Bd. 4º	3	—
Gelzer, H., die Straußischen Zerwürfnisse in Zürich	1	20
Gemberg, A., die Schottische Nationalkirche	1	20
Gerock, C. F., Christologie des Koran	—	22½
— C. L., die Unruhen in der Niederländ. Kirche	1	5
Hävernick, H. A. Chr., Commentar über d. Daniel, mit neuen kritischen Untersuchungen	3	17½
Hartmann, A. Th., die enge Verbindung des Alten Testaments mit dem Neuen	4	15
Heimbürger, Urbanus Rhegius	1	18
Helffrich, A., die christliche Mystik. 2 Theile	5	—
— — die Metaphysik als Grundwissenschaft	1	—
— — Spinoza und Leibnitz	—	15
Henry, P., das Leben Johann Calvin's. 4 Bände	10	15
Herrmann, W., die speculative Theologie durch Daub	1	18
Hiob. Ein religiöses Gedicht v. M. H. Stuhlmann	1	20
Hurter, Fr., Geschichte Pabst Innocenz III. 4 Bände	13	—
Huther, J. E., Cyprians Lehre von der Kirche	1	—
Klenker, J. F., Aechtheit und Glaubwürdigkeit der christlichen Urkunden. 5 Bände	5	25
Köllner, Ed., Symbolik christlicher Confessionen. 2 Bde.	6	10
Köstlin, die Schottische Kirche	2	—
Krabbe, O., Ursprung und Inhalt der christlichen Constitutionen des Clemens Romanus	1	15
— — die Lehre von der Sünde	1	22½
Martensen, H., Meister Eckard	—	22½
— — die christliche Taufe u. die baptistische Frage	—	15
Mayerhoff, E. Th., Einleitung i. d. petrinischen Schriften	1	15
Meier, G. A., die Lehre von der Trinität	2	25
Meyer, J. A. G., Natur = Analogien	2	3½
Moveis, Fr. C., Jeremias	—	22½
Neander, A., das Leben Jesu. 4e Aufl.	3	10
— Kirchengeschichte I. 1. 2. II. 1. 2., neue Aufl. III. IV. V. 1. 2. ord. Papier	19	4¼
— — Apostelgeschichte. 2 Theile. 4e Aufl.	4	—
— — der heilige Bernhardt. 2e Aufl.	2	16
— — Denkwürdigkeiten a. d. christl. Leben. 2 Bde.	3	14
Nitzsch, C. J., über den Religionsbegriff der Alten	—	5
— — gegen Möhlers Symbolik	1	7½

Lightning Source UK Ltd.
Milton Keynes UK
UKHW020622201218
334296UK00006B/266/P

9 780260 931146